Cwrs Sylfaen

Yr ail lyfr cwrs mewn

cyfres o dri i oedolion

sy'n dysgu Cymraeg

The second course

book in a series of three

for adults learning Welsh

Fersiwn y De
South Wales Version

Mark Stonelake
Emyr Davies

CBAC
WJEC

Cyhoeddwyd gan CBAC
Cyd-bwyllgor Addysg Cymru
Published by the WJEC
Welsh Joint Education Committee

Yr Uned Iaith Genedlaethol,
CBAC, 245 Rhodfa'r Gorllewin,
Caerdydd CF5 2YX
The National Language Unit,
WJEC, 245 Western Avenue,
Cardiff CF5 2YX

Argraffwyd gan Wasg Gomer
Printed by Gomer Press

Argraffiad cyntaf: 2006
Ail argraffiad: 2010
First impression: 2006
Second impression: 2010

ISBN 978 1 86085 518 4

Cydnabyddiaeth
Acknowledgements

Awduron: / *Authors:*	Mark Stonelake, Emyr Davies
Golygydd: / *Editor:*	Glenys Mair Roberts
Dylunydd: / *Designer:*	Olwen Fowler
Rheolwr y Project: / *Project Manager:*	Emyr Davies
Awdur yr Atodiad i Rieni: / *Author of the Appendix for Parents:*	Carole Bradley

Lluniwyd y darluniau gwreiddiol gan Brett Breckon.
Original illustrations are by Brett Breckon.

Mae'r cyhoeddwyr yn ddiolchgar i'r canlynol am ganiatâd
i ddefnyddio ffotograffau:
The publishers are grateful to the following
for permission to use photographs:
Cyngor Sir Penfro, Gwasanaethau Twristiaeth a Hamdden
    - llun y clawr, Dinbych-y-pysgod.
Western Mail Cyf. t.31 (Bryn Terfel, Ryan Giggs, Katherine Jenkins a
    Tom Jones) ac eto ar tt. 48, 66, 117 a 132; t.138 (llun Gŵyl Ddewi).
Associated Press tt.31 a 45 (Margaret Thatcher, Pavarotti, Manic Street
    Preachers, Laurel a Hardy, y Beatles, George W. Bush), t.38, t.68
    (Anthony Hopkins), t.75 (Katherine Jenkins), t. 117 (Manic Street
    Preachers), t.121 (George W. Bush), t.144 (Laurel a Hardy).
BBC t.31 a t. 57 (Sara Edwards).
S4C tt.31 a 131 (Dudley Newberry).
Topham Picturepoint t.32 (Charlie and the Chocolate Factory), t.45
    (Ioan Gruffudd), tt.90 a 102 (naid bynji), t.126.
Camera Press   t.104.
Richard Young   t.132 (J. K. Rowling).
Empics   tt.35 a 117 (Catherine Zeta Jones).
Bwrdd Croeso Cymru   tt.53, 54, 78, 127 a 174.
T G Powell   t.202.
Tynnwyd y ffotograffau eraill gan:
Other photographs were taken by:
Mark Johnson, Pinegate Photography; Olwen Fowler

Nodyn / *Note*
Mae hwn yn gwrs newydd sbon, felly croesewir sylwadau
gan ddefnyddwyr, yn diwtoriaid ac yn ddysgwyr. Anfonwch
eich sylwadau drwy e-bost at: lowri.morgan@cbac.co.uk, neu
drwy'r post at: Lowri Morgan, Yr Uned Iaith Genedlaethol,
CBAC, 245 Rhodfa'r Gorllewin, Caerdydd, CF5 2YX.
This is a brand new course, so we would welcome any
comments from users, whether tutors or learners. Send
your comments by e-mail to: lowri.morgan@cbac.co.uk,
or by post to: Lowri Morgan, The National Language Unit,
WJEC, 245 Western Avenue, Cardiff, CF5 2YX.

Noddir gan
Lywodraeth
Cynulliad Cymru
Sponsored by
Welsh Assembly
Government

Cyflwyniad
Introduction

Cwrs Sylfaen is the second in a series of three course books that will help you to speak and understand Welsh. There are different versions for learners living in north and south Wales. It has been designed for groups of learners who meet in classes once a week, or on more intensive courses. It follows on from the course for complete beginners, *Cwrs Mynediad*.

Cwrs Sylfaen is made up of 30 units to be used in class with your tutor, including a revision unit every five units. The first units are also an opportunity to revise what you may have forgotten from the previous course! The new patterns are shown in boxes and activities follow which help you to practise these patterns in class. Vocabulary and grammar points are summarised at the end of each revision unit, and there are checklists for you to see how you are progressing. A separate *Pecyn Ymarfer* or Practice Pack is available, with tasks and exercises to help you revise at home. There are also CDs or cassettes accompanying the course, which will help you revise each unit through repetition and various exercises.

The best advice is to use what you learn as soon as possible, with other learners, your tutor and others.

Two appendices are included at the end of the main course book. The first is for learners who are learning in their workplace. The second is for parents with children under five years old, who are learning with their children. Your tutor will select parts of these appendices, if they're relevant to the group, and use them in class. Otherwise, you can try them out for yourself.

At the end of the course, you will be ready to sit an exam, called *Defnyddio'r Gymraeg: Sylfaen*. You don't have to sit an exam if you're following the course, but it does give you something to work towards. It is an accredited Level 1 qualification, and you should be able to take the different tests at a centre near you.

Remember - use what you learn. Also, be ready to participate, enjoy learning and perhaps the best advice is 'Daliwch ati!' or 'Stick at it!' Pob lwc!

Cynnwys

Cwrs Sylfaen: Uned 1

Nod: Adolygu - rhoi manylion personol - enw, cartre, rhif ffôn, oedran, teulu, diddordebau, gwyliau

Revision - giving personal details - name, home, telephone number, age, family, interests, holidays

1. Newidiwch y geiriau mewn teip tywyll i roi eich manylion chi
Change the words in bold letters to give your details

Beth yw'ch enw chi?	**Bryn** dw i
Ble dych chi'n byw?	Dw i'n byw **yn Aberystwyth**
Beth yw'ch rhif ffôn chi?	**01324 447731**
Beth yw'ch oedran chi?	Dw i'n **ddwy ar hugain** oed
Dych chi'n gweithio?	Ydw, dw i'n gweithio **yn Tesco**
	Nac ydw, dw i **wedi ymddeol**
Oes teulu gyda chi?	Oes, mae **tri mab** gyda fi
	Nac oes, does dim teulu gyda fi
Beth dych chi'n hoffi wneud?	Dw i'n hoffi **nofio a darllen**
Ble aethoch chi ar eich gwyliau diwetha?	Es i i **Ogledd Ffrainc** am **wythnos**
Sut oedd y tywydd?	Roedd hi'n **braf**
Gaethoch chi amser da?	Do, ges i amser da iawn
	Naddo, ges i amser ofnadwy

Tasg

Rhowch eich manylion yn y bocs CHI a gofynnwch i bartner am ei fanylion e/ei manylion hi i lenwi bocs PERSON 1.

Put your details in the CHI box and ask a partner for his/her details to fill the PERSON 1 box.

chi

Enw: _____

Byw: _____

Rhif ffôn: _____

Oedran: _____

Gweithio: _____

Teulu: _____

Diddordebau (x2): _____

_____

Gwyliau: _____

Tywydd: _____

Amser da: _____

person 1

Enw: _____

Byw: _____

Rhif ffôn: _____

Oedran: _____

Gweithio: _____

Teulu: _____

Diddordebau (x2): _____

_____

Gwyliau: _____

Tywydd: _____

Amser da: _____

Tasg

Siaradwch am y bobl yn y lluniau - ble maen nhw'n byw? (Cofiwch y treiglad)

Talk about the people in the pictures - where do they live? (Remember the treiglad)

2. Beth yw ei enw e/ei henw hi?
   Ble mae e/hi'n byw?
   Beth yw ei rif ffôn e?
   Beth yw ei rhif ffôn hi?

   Faint yw ei oedran e?
   Faint yw ei hoedran hi?

   Ydy e/hi'n gweithio?

Bryn/Siân yw'r enw
Mae e/hi'n byw **yn Aberystwyth**
01324 447731

Mae e'n **dri deg** oed
Mae hi'n **ddau ddeg pump** oed

Ydy, mae e'n gweithio **yn Tesco**
Nac ydy, mae hi **wedi ymddeol**

Oes teulu gyda fe/hi?	Oes, mae **tri mab** gyda fe
	Nac oes, does dim teulu gyda hi
Beth mae e/hi'n hoffi wneud?	Mae e'n hoffi **nofio a darllen**
	Mae hi'n hoffi **nofio a darllen**
Ble aeth e ar ei wyliau diwetha?	Aeth e i **Ogledd Ffrainc** am **wythnos**
Ble aeth hi ar ei gwyliau diwetha?	Aeth hi i **Sbaen** am **ddeg diwrnod**
Sut oedd y tywydd?	Roedd hi'n **braf**
Gaeth e/hi amser da?	Do, gaeth e amser da iawn
	Naddo, gaeth hi amser ofnadwy

Ffeindiwch bartner newydd, a gofynnwch am y PERSON 1 a holwyd wrth wneud Ymarfer 1. Symudwch ymlaen at bartner newydd ar ôl gorffen.

Find a new partner, and ask about the PERSON 1 who was interviewed during Exercise 1. Move on to a new partner when you have finished.

person 2

Enw: _____

Byw: _____

Rhif ffôn: _____

Oedran: _____

Gweithio: _____

Teulu: _____

Diddordebau (x2): _____

_____

Gwyliau: _____

Tywydd: _____

Amser da: _____

person 3

Enw: _____

Byw: _____

Rhif ffôn: _____

Oedran: _____

Gweithio: _____

Teulu: _____

Diddordebau (x2): _____

_____

Gwyliau: _____

Tywydd: _____

Amser da: _____

Tasg

Gyda'ch partner, cysylltwch yr ateb â'r cwestiwn.

With a partner, connect the answer to the question. ✔ = *yes* ✘ = *no*

Wyt ti'n gweithio?	✔	Oedd
Oes plant gyda chi?	✘	Ydy
Dych chi'n hoffi pasta?	✘	Do
Aethon nhw ma's neithiwr?	✔	Bydd
Ydy hi'n braf nawr?	✔	Ie
Bryn Jones dych chi?	✔	Nac oes
Oedd hi'n braf ddoe?	✔	Ydw
Fydd hi'n oer yfory?	✔	Na chei
Ga i ofyn cwestiwn?	✘	Nac ydw

Gofynnwch y cwestiynau i'ch gilydd. Atebwch heb edrych ar y llyfr cwrs.

Ask each other the questions. Answer without looking at the course book.

Tasg

Gyda'ch partner, siaradwch am y dyn yn y llun:

With your partner, talk about the man pictured:

Enw:	Dewi
Byw:	Tal-y-bont
Oedran:	40
Diddordebau:	nofio, bwyta ma's
Rhif ffôn:	01970 226905

Yna, siaradwch am y wraig yn y llun:

Then, talk about the woman pictured:

Enw:	Carys
Byw:	Bangor
Diddordebau:	darllen, chwarae gyda'r plant
Yn wreiddiol:	Llundain
Gwyliau:	Barbados

Nesa, dychmygwch taw chi yw Dewi neu Carys.

Dwedwch o leiaf 6 o bethau amdanoch chi eich hunan.

Next, imagine that you are Dewi or Carys. Say at least 6 things about yourself.

Gwrando

Gwrandewch ar y tâp dair gwaith a llenwch y grid.

Gwiriwch eich atebion gyda'ch partner - yn Gymraeg!

Listen to the tape three times and fill in the grid.

Check your answers with your partner - in Welsh!

Enw	Byw gyda	Mewn	Ble	Gweithio	(x2) Hoffi gwneud	Pryd
Eleri						
Gwyn						
Cedric						

Mastermind!

Un aelod (dewr) o'r dosbarth i eistedd yn y blaen ac ateb y cwestiynau hyn amdanyn nhw eu hunain. Pawb arall yn y dosbarth i ofyn y cwestiynau:

One (brave) member of class to sit in the front and answer these questions about themselves. Other people in the class should ask the questions:

Beth yw'ch enw chi?

Ble dych chi'n byw?

Dych chi'n gweithio?

Oes teulu gyda chi?

Beth yw'ch oedran chi?

Ble aethoch chi ar eich gwyliau diwetha?

Beth gaethoch chi i swper neithiwr?

Beth dych chi'n hoffi wneud yn eich amser sbâr?

O ble dych chi'n dod yn wreiddiol?

Cwrs Sylfaen: Uned 2

Nod: Adolygu - rhoi manylion personol - y gwaith, y teulu ac eiddo
Revision - giving personal details - work, family and possessions

1. Fy nghariad i
Fy mhartner i
Fy nhad i
Fy mrawd i
Fy neintydd i
Fy ngrŵp i
Fy chwaer i
Fy mab i

Siân yw enw fy **nghariad** i

 Tasg

Ysgrifennwch enwau perthnasau dychmygol yn y bocsys a dwedwch nhw wrth eich partner.
Write the names of imaginary relations in the boxes and tell your partner who they are.

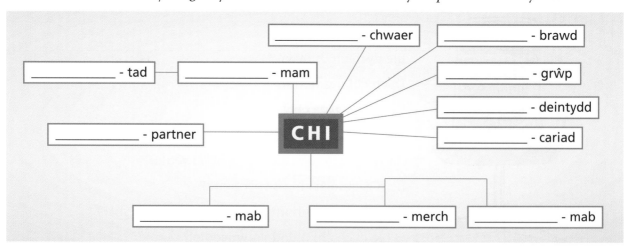

2. Dy gariad di
Dy bartner di
Dy dad di
Dy frawd di
Dy ddeintydd di
Dy grŵp di
Dy chwaer di
Dy fab di

Beth yw enw dy **dad** di?   **Ffred** yw enw fy **nhad** i

 **Tasg**
Ysgrifennwch enwau'ch perthnasau iawn yn y bocsys a gofynnwch i'ch
partner am ei berthnasau e/ei pherthnasau hi. Does dim rhaid llenwi pob bocs!
Write the names of your real relations in the boxes and ask your partner
about his/her relatives. You don't have to fill in all the boxes!

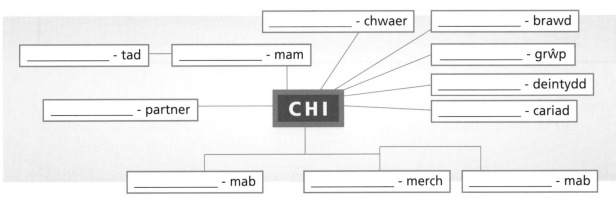

_____ - chwaer   _____ - brawd

_____ - tad   _____ - mam   _____ - grŵp

_____ - deintydd

CHI   _____ - cariad

_____ - partner

_____ - mab   _____ - merch   _____ - mab

3. Ei dŷ e   Ei thŷ hi
Ei gân e   Ei chân hi
Ei barot e   Ei phartner hi
Ei fwyd e   Ei hysgol hi
Ei ddinas e   Ei dinas hi
Ei wraig e   Ei gŵr hi
Ei rieni e   Ei rhieni hi
Ei fam e   Ei mam hi
Ei lyfr e   Ei llyfr hi

Beth yw enw   ei dŷ e?
Beth oedd enw   ei chath hi?

 Tasg

Gyda'ch partner, cysylltwch y cymeriadau â'r pethau sy'n perthyn iddyn nhw.

With your partner, connect the characters to the things belonging to them.

John Major (cariad)	Delilah
Elvis (tŷ)	Spinach
Shirley Bassey (cân)	Capten Fflint
Batman (car)	Edwina Currie
Long John Silver (parot)	Trigger
Hillary Clinton (gŵr)	Gracelands
Roy Rogers (ceffyl)	Batmobile
Popeye (bwyd)	Diamonds are Forever
Woody Allen (dinas)	Bill Clinton
Tom Jones (cân)	Efrog Newydd

Ar ôl cysylltu'r ddwy golofn, dwedwch enw rhywun wrth eich partner.

Rhaid iddo/iddi ddweud brawddeg.

After connecting the two columns, give your partner a name. He/she will have to say a sentence.

e.e. Shirley Bassey 'Diamonds are Forever' oedd ei chân hi

Meddyliwch am enwau a chysylltiadau eraill i'w gofyn i'r dosbarth.

Think of some other names and connections to ask the class.

Gramadeg

Dyma dabl i'ch helpu chi i gofio pa dreiglad sy'n dod ble.

Here's a table to help you remember which mutation comes where.

Fy	nghar	i	(Treiglad Trwynol)
Dy	gar	di	(Treiglad Meddal)
Ei	gar	e	(Treiglad Meddal)
Ei	char	hi	(Treiglad Llaes - TCP!)
Ein	car	ni	Dim treiglad (ond 'h' o flaen llafariad)
Eich	car	chi	Dim treiglad
Eu	car	nhw	Dim treiglad (ond 'h' o flaen llafariad)

4. Cartref yw enw eu tŷ nhw
Bryn y Môr yw enw eu hysgol nhw
Un deg saith yw rhif ein tŷ ni
Ysgol y Cwm yw enw ein hysgol ni

Beth yw **rhif tŷ** Bryn a Siân?   **Un deg saith** yw **rhif** eu tŷ nhw
Beth yw enw eich **ysgol** chi?   **Bryn y Môr** yw enw ein **hysgol** ni

Tasg

Llenwch y bocsys ac wedyn gofynnwch i rywun arall am gynnwys eu bocsys nhw.
Fill in the boxes and then ask someone else about the content of their boxes.

e.e. Beth yw enw ysgol Bryn a Siân?   _____ yw enw eu hysgol nhw
Beth yw rhif eich tŷ chi?   _____ yw rhif ein tŷ ni

Bryn a Siân	**Ni**	**Wil a Mari**	**Eleri a Siôn**
Enw ysgol:	Enw ysgol:	Enw ysgol:	Enw ysgol:
_____	_____	_____	_____
Rhif tŷ:	Rhif tŷ:	Rhif tŷ:	Rhif tŷ:
_____	_____	_____	_____
Mêc car:	Mêc car:	Mêc car:	Mêc car:
_____	_____	_____	_____

Tasg

Mewn parau, darllenwch y darn hwn yn uchel i'ch gilydd.
Trafodwch unrhyw eiriau dych chi ddim yn eu deall.
In pairs, read the following paragraph aloud to each other.
Discuss any words you don't understand.

Dw i'n gweithio mewn swyddfa yn **Abergwaun**. Dechreuais i yma yn **1989**.

Dw i'n teithio i'r gwaith bob dydd **ar y bws**, a dw i'n cyrraedd erbyn **hanner**

awr wedi wyth. Mae **cyfarfodydd** gyda fi yn y bore fel arfer, a dyn ni'n cael **coffi**

am un ar ddeg. Fel arfer, rhaid i fi fynd i'r **swyddfa arall** yn y dre yn y prynhawn,

os yw hi'n brysur. Ar ôl i fi wneud y **gwaith papur** wedyn, dw i'n gorffen erbyn

hanner awr wedi pump. Bydda i'n ymddeol mewn **pum mlynedd**!

Ar ôl gorffen, darllenwch y paragraff eto, y tro hwn gan newid y geiriau mewn print trwm.
Mewn grwpiau o dri, cymerwch eich tro wedyn i ddisgrifio eich diwrnod gwaith eich hun.

After finishing, read the paragraph again, this time changing the words in bold print.
Then in groups of three, take turns to describe your own work day.

Tasg
Edrychwch ar y lluniau. Gofynnwch i'ch partner
ble mae'r bobl hyn yn gweithio.

Look at the
pictures. Ask your
partner where these
people work.

Gramadeg

*If he works in **a** school, any school, you use **mewn**.*
*If he works in a specific school to which you are referring, use **yn**.*

e.e.   Mae e'n gweithio mewn ysgol
        Mae e'n gweithio yn ysgol Aberteifi

        Mae hi'n gweithio mewn canolfan hamdden
        Mae hi'n gweithio yng nghanolfan hamdden Treffynnon

Tasg
Cewch chi ddau funud i feddwl am bum brawddeg i'w dweud am eich teulu chi.
Ysgrifennwch nhw ar ddarn o bapur sgrap. Bydd y tiwtor yn eich gwahodd i ddweud
eich brawddegau wrth y dosbarth. Ceisiwch gofio eich brawddegau chi, fel nad oes
angen eu darllen. Dyma rai awgrymiadau:

You will be given two minutes to think of five sentences to say about your family. Write
them on a piece of scrap paper. Your tutor will invite you to say your sentences to the class.
Try to remember your sentences, so you don't need to read them. Here are some suggestions:

                Mae un brawd gyda fi.
                Meddyg yw e.
                Does dim plant gyda fe.
                Mae fy nhad i'n dod o Iwerddon.
                Dw i'n gweld y teulu bob dydd Sul.

Cwrs Sylfaen: Uned 3

Nod: Siarad am y gorffennol a thrafod yr amser *Talking about the past and discussing time*

1. Codais i am saith o'r gloch
Es i i'r gwaith am chwarter wedi wyth
Ges i frechdanau am hanner awr wedi un
Des i adre ar y bws am chwarter i chwech
Gwnes i'r gwaith cartref am wyth

Pryd **codaist ti?**   **Codais i am saith o'r gloch**

 Tasg
Ticiwch un peth o bob colofn. Bydd eich partner yn gofyn cwestiynau i chi.
Tick one thing from each column. Your partner will ask you questions.

e.e. **A:** Gest ti frechdanau ?   **A:** Naddo
    B: Gest ti basta ?   **B:** Do
    A: Est ti i'r dre?   **A:** Naddo
    B: Est ti i'r gwaith?   **B:** Naddo

Codi	Mynd i	Cael	Dod adre	Gwneud
7.00	i'r dre	brechdanau	ar y bws	y gwaith cartref
7.20	i'r gwaith	coffi	mewn tacsi	y llestri
7.15	i'r dafarn	pasta	ar y trên	y smwddio
7.35	i'r caffi	sglodion	yn y car	y glanhau
7.30	i'r ganolfan hamdden	pot noodle	ar y beic	yr hwfro

Defnyddiwch y grid eto gan ddefnyddio 'chi' yn lle 'ti'.
Use the grid again using 'chi' instead of 'ti'.

Gêm drac i adolygu'r gorffennol

Revising the past with a track game

	i	ti	e / hi	ni	chi	nhw
Dechrau	chwarae	mynd	siarad	mwynhau	codi	bwyta
	cwrdd	cofio	prynu	gyrru	darllen	gadael
	golchi	dysgu	rhoi	gadael	chwarae	dysgu
	mwynhau	canu	prynu	gweld	codi	bwyta
	rhoi	gadael	golchi	gwrando	mynd	siarad

Diwedd

⚙ Gramadeg

I helpu, dyma sut mae'r berfau'n gorffen.
Ceisiwch ddweud brawddeg hirach bob tro.

> *To help, here are the endings for the verbs.*
> *Try to say a longer sentence each time.*

Cod**ais** i	Cod**on** ni
Cod**aist** ti	Cod**och** chi
Cod**odd** e	Cod**on** nhw
Cod**odd** hi	

Tasg – gwneud stori

Gyda phartner, dewiswch ferf o bedair colofn yn y gêm drac a gwnewch stori yn y gorffennol.

With a partner choose a verb from each of four columns
in the track game and make up a story in the past.

e.e. Codais i'n gynnar ddoe am saith. Es i ma's ar ôl brecwast.
Chwaraeais i bêl-droed yn y parc gyda'r plant am awr wedyn …

2. Ar ôl i ti fynd
Ar ôl i fi fynd
Ar ôl i ni fynd
Ar ôl i chi fynd

Roedd rhaid i fi adael
Roedd rhaid i ti fynd
Roedd rhaid iddo fe gyrraedd
Roedd rhaid iddi hi yrru

A: Beth oedd rhaid i ti wneud?
B: Roedd rhaid i fi ffonio
A: Pryd roedd rhaid i ti ffonio?
B: Ar ôl i fi ddod adre

Tasg

Gyda'ch partner, edrychwch ar y rhestr hon. Defnyddiwch 'ar ôl i fi' i ddweud beth wnaethoch chi yn y drefn iawn (gan ddefnyddio'r amser fel canllaw). Ar ôl gorffen, ysgrifennwch bump peth wnaethoch chi ddoe ar bapur sgrap. Bydd eich tiwtor yn eich gwahodd i ddweud beth wnaethoch chi wrth y dosbarth cyfan.

With your partner, look at the list below. Using 'ar ôl i fi' say what you did in the correct
order (using the times as a guide). After finishing, write 5 things you did yesterday on a
piece of scrap paper. Your tutor will invite you to tell the whole class what you did.

6.00	Edrych ar y teledu	7.15	Golchi'r car
8.30	Mynd i'r dafarn	8.10	Gwrando ar CD
5.30	Cysgu ar y gadair	5.00	Darllen
11.00	Gyrru adre	6.15	Bwydo'r gath
6.45	Gwneud y gwaith cartre	8.20	Ffonio ffrind

Tasg - rhoi cyngor

Dyma beth wnaeth John neithiwr. Meddyliwch am gyngor addas iddo fe ar gyfer heddiw neu yfory.

Giving advice. This is what John did yesterday. Think of suitable advice to give him about today or tomorrow.

Neithiwr	Cyngor
Aeth e i'r dafarn tan un o'r gloch y bore.	e.e. Rhaid iddo fe aros yn y gwely.
Gofynnodd John i Mair ei briodi fe	
Gaeth John ddamwain car	
Dringodd John i ben yr Wyddfa	
Prynodd John gyfrifiadur newydd	
Gaeth gwraig John fabi	
Dechreuodd John swydd newydd	
Cwrddodd John â George W. Bush	

Newidiwch y brawddegau i sôn am Lowri yn lle John.

Change the sentences to talk about Lowri instead of John.

Tasg

Mewn parau, darllenwch y cerdyn post isod. Yna, meddyliwch am bump cwestiwn i'w gofyn am y cerdyn a'u hysgrifennu ar bapur sgrap, e.e. Ble aeth Tom a Catrin?

In pairs, read the postcard below. Then, think of five questions to ask about the card and write them on a piece of scrap paper.

CERDYN POST

Annwyl Mam a Dad,

Dyn ni wedi cyrraedd Efrog Newydd. Aethon ni i weld y lluniau yn y Guggenheim ddoe ac wedyn aethon ni am dro yn Central Park. Mae e'n lle diddorol iawn! Dyw'r tywydd ddim yn braf iawn, ond mae digon i'w weld yma. Gaethon ni fwyd mewn tŷ bwyta ger y môr neithiwr, ac roedd e'n ddrud iawn. Ar ôl i ni fynd yn ôl i'r gwesty, roedd hi'n hwyr iawn. Dyn ni'n mynd i weld Ynys Ellis yfory, a byddwn ni'n hedfan adre dydd Sadwrn.

Gwelwn ni chi ddydd Sul,
Tom a Catrin

Tasg

Storm eirfa

Bydd eich tiwtor yn rhoi darn o bapur sgrap i chi. Mewn grwpiau o dri rhaid i chi ysgrifennu pob gair dych chi'n gallu meddwl amdano, yn gysylltiedig â phwnc arbennig, mewn dau funud. Ar ôl gorffen, byddwch chi'n cyfenwid papurau â grŵp arall a rhaid i chi ddweud brawddeg yn eich tro yn cynnwys un o'r geiriau.

Vocabulary brainstorm

Your tutor will give you a piece of scrap paper. In groups of three, you will have to write every word you can think of, connected with a particular topic, within two minutes. After finishing, you will exchange papers with another group and take turns to say one sentence containing one of the words on the list.

Cwrs Sylfaen: Uned 4

Nod: Trafod pethau dych chi wedi eu gwneud ac ers pryd
Discussing things you have done and since when

1. Dw i wedi cael digon   *I've*   *had enough*
          gorffen   *finished*
          anghofio   *forgotten*
          bod 'na   *been there*
          dewis   *chosen*

Wyt ti wedi bod yn Sbaen erioed?   Ydw, unwaith / sawl gwaith
Have you ever been to Spain?   *Yes, once / several times*

                                  Nac ydw, erioed
                                  No, never

Tasg
Gofynnwch i'ch gilydd am wledydd eraill.
Ask each other about other countries.

2. Dych chi wedi gweld   *How Green was My Valley?*   Ydw, wrth gwrs!
          darllen   *Lord of the Rings?*   Nac ydw, ond dw i wedi
                                              gweld y ffilm

Tasg
Gofynnwch i'ch gilydd am lyfrau neu ffilmiau newydd.
Ask each other about new books or films.

3. Wyt ti wedi cwrdd â rhywun enwog erioed?   Ydw, dw i wedi cwrdd â Siân Phillips
Have you ever met someone famous?   Nac ydw, neb
Wyt ti wedi cwrdd â rhywun cyfoethog erioed?   Ydw, dw i wedi cwrdd â Bill Gates
Have you ever met someone rich?   Nac ydw, neb

Tasg

Gofynnwch i'ch gilydd am bethau anarferol
dych chi wedi gwneud. Bydd y tiwtor yn eich helpu chi.

*Ask each other about unusual things you
have done. The tutor will help you.*

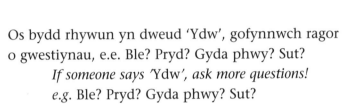

Awgrymiadau:	bwyta octopws	*eaten octopus*
Suggestions:	bod ar y teledu	*been on television*
	gweld damwain	*seen an accident*
	smygu pot	*smoked pot*
	cael 'appendicitis'	*had appendicitis*

Os bydd rhywun yn dweud 'Ydw', gofynnwch ragor
o gwestiynau, e.e. Ble? Pryd? Gyda phwy? Sut?

If someone says 'Ydw', ask more questions!
e.g. Ble? Pryd? Gyda phwy? Sut?

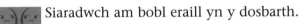

4.

Mae e wedi	gweld UFO	*He has*	*seen a UFO*
Mae hi wedi	rhedeg marathon	*She has*	*run a marathon*
	yfed gormod		*drunk too much*
	gwario popeth		*spent everything*

Ydy e / hi wedi **gweld UFO**?   *Has he / she seen an UFO?*
Ydy e / hi?   *Has he / she?*
Ydy Siân wedi **rhedeg marathon**?   Nac ydy, ond mae hi wedi cerdded i Tesco
Ydy Tom?   *Has Tom?*

 Siaradwch am bobl eraill yn y dosbarth.
Defnyddiwch y cwestiynau dych chi wedi eu dysgu hyd yn hyn.
Talk about other people in the class. Use the questions you have learnt so far.

g Gramadeg

Cofiwch y gwahaniaeth rhwng y parau brawddegau hyn:
Remember the difference between these pairs of sentences:

1.	Dw i wedi gweld	*I have seen*
2.	Gwelais i	*I saw*
1.	Dw i wedi mynd	*I have gone*
2.	Es i	*I went*

5.

Dyn ni wedi	gwneud y gwaith	We have	done the work
	dechrau		started
Maen nhw wedi	gadael	They have	left
	cyrraedd		arrived

Dych chi wedi **gwneud y gwaith**?   *Have you done the work?*
Nac ydyn, dyn ni newydd **ddechrau**   *No, we have just started*
Ydyn   *Yes (we have)*

Ydyn nhw wedi **cyrraedd** eto?   *Have they arrived yet?*
Nac ydyn, dim eto   *No, not yet*
Ydyn, maen nhw newydd **gyrraedd**   *Yes, they've just arrived*

Gyda'ch partner, dewiswch grid A neu B a thiciwch 5 sgwâr.
Bydd eich tiwtor yn esbonio beth i'w wneud.
With a partner, choose grid A or B and tick 5 squares. Your tutor will explain what to do.

Geiriau Partner B

gorffen, cael digon, cyrraedd eto.
(Partner B's words)

Partner A	gadael	dechrau	yfed gormod
Bryn			
Siân			
nhw			
chi			
ti			
ni			

Geiriau Partner A

gadael, dechrau, yfed gormod
(Partner A's words)

Partner B	gorffen	cael digon	cyrraedd eto
Bryn			
Siân			
nhw			
chi			
ti			
ni			

6.

Dyn ni wedi gorffen ers oriau	*We've (been) finished for hours*
Dyn ni wedi symud ers blynyddoedd	*We've moved for years*
	(i.e. We moved years ago)
Dyn ni wedi gwerthu'r tŷ ers misoedd	*We've sold the house for months*
	(i.e. We sold the house months ago)

Dyn ni'n byw 'ma ers pum mlynedd	*We've lived here for five years*
Dyn ni'n gweithio 'ma ers dwy flynedd	*We've worked here for two years*
Dyn ni'n dysgu Cymraeg ers blwyddyn a mwy	*We've been learning Welsh*
	for a year and more.

Ers faint dych chi wedi symud?   *Since when have you moved?*
Ers faint dych chi'n byw yn yr ardal?   *Since when have you lived in the area?*

Geirfa

ardal (b)	-	*area*
cwrdd (â)	-	*to meet*
cyfoethog	-	*rich*
cyrraedd	-	*to arrive*
dechrau	-	*to start*
dewis	-	*to choose*
digon	-	*enough*
dod yn ôl	-	*to come back*
enwog	-	*famous*
erioed	-	*ever/never*
ers	-	*since*
gadael	-	*to leave*
gorffen	-	*to finish*
newydd	-	*has/have just (+ TM)*
rhywun	-	*someone*
sawl gwaith	-	*several times*
twll o le	-	*a dump*
unwaith	-	*once*
yn ddiweddar	-	*recently*

**Ychwanegwch eirfa
sy'n berthnasol i chi:**
*Add vocabulary that's
relevant to you:*

Deialog

A: Wyt ti wedi bod yn **Affrica** erioed?

B: Ydw. Dw i newydd ddod nôl o **Moroco**.

A: Duw! Duw! Wyt ti wir?

B: Ydw. Wyt ti wedi bod 'na?

A: Nac ydw, ond dw i wedi bod **ym Mhorth-cawl**.

B: Dw i erioed wedi bod 'na.

A: Mae e'n dwll o le!

Ymarfer gyda'ch partner,
yna newidiwch y geiriau
mewn print bras.
*Practise with your
partner, then change
the words in bold print.*

ⓖ Gramadeg

Defnyddio 'wedi'
Using 'wedi'

Remember not to use **'n** *with* wedi, *e.g.* Dw i**'n** gweld - *I see.* Dw i **wedi** gweld - *I have seen.*

The answers to questions in this tense are the same as in the present tense - **Ydw/Nac ydw**, **Ydy/Nac ydy** *etc, but you will hear* **Do** *and* **Naddo** *used for* **Yes** *and* **No** *as well.*

*Cofiwch (remember): I saw = Gwelais i. I have seen = Dw i wedi gweld.

Also listen out for

Wyt ti wedi gweld y ffilm?	>	**Ti 'di** gweld y ffilm?
Dw i **ddim wedi** gweld y ffilm	>	Dw i **heb** weld y ffilm
	>	**Sa i** wedi gweld y ffilm
		(yn y De-orllewin – *South-west*)

Defnyddio 'ers'
Using 'ers'

When you're describing a state that hasn't changed over a period of time,
use the present tense with 'ers', e.g.

Dw i'n byw 'ma ers pum mlynedd	*I've been living here / have lived here for* *five years (lit. I am living here since five years)*

If you're talking about an action that has been completed since a certain time, use 'wedi', e.g.

Dw i wedi symud ers pum mlynedd	*I moved five years ago* *(lit. I have moved since five years)*

Don't worry if you don't understand this for now - it's better to learn from examples.

Cwrs Sylfaen: Uned 5

Nod: Adolygu ac ymestyn - disgrifio person a disgrifio lle
Revision and extension - describing a person and describing a place

1.

Mae e'n dal	*He's tall*
Mae e'n fyr	*He's short*
Mae e'n dew	*He's fat*
Mae e'n denau	*He's thin*
Mae e'n ifanc	*He's young*
Mae e'n hen	*He's old*
Mae e'n olygus	*He's handsome*
Mae e'n salw	*He's ugly*
Mae e'n foel	*He's bald*
Mae hi'n bert	*She's pretty*
Mae gwallt golau gyda hi	*She's got fair hair*
Mae gwallt tywyll gyda hi	*She's got dark hair*
Mae gwallt syth gyda hi	*She's got straight hair*
Mae gwallt cyrliog gyda hi	*She's got curly hair*
Mae gwallt brown gyda hi	*She's got brown hair*
Mae gwallt du gyda hi	*She's got black hair*
Mae gwallt coch gyda hi	*She's got red hair*
Mae barf gyda fe	*He's got a beard*
Mae sbectol gyda fe	*He's got glasses*
Mae e'n enwog	*He's famous*
Mae e'n gyfoethog	*He's rich*
Mae e'n bwysig	*He's important*

Tasg

Mewn parau, meddyliwch am berson enwog a phump brawddeg i ddisgrifio'r person hwnnw. Bydd gweddill y dosbarth wedyn yn ceisio dyfalu pwy yw'r person enwog.

In pairs, think of a famous person and five sentences to describe that person.
The rest of the class will then try to guess who you're describing.

e.e.

1. Mae e'n dew.	*2. Mae e'n foel.*	*3. Mae e'n felyn.*

4. Mae tri o blant gyda fe.	*5. Mae e'n byw yn Springfield.*

2.

Dyn ni'n byw mewn fflat	*We live in a flat*
Dyn ni'n byw mewn tŷ teras	*We live in a terrace house*
Dyn ni'n byw mewn byngalo	*We live in a bungalo*
Dyn ni'n byw ar fferm	*We live on a farm*
Mae cegin fach gyda ni	*We have a small kitchen*
Mae lolfa fawr gyda ni	*We have a large living room*
Mae ystafell ymolchi fawr gyda ni	*We have a large bathroom*
Mae garej gyda ni	*We have a garage*
Mae gardd fawr / fach gyda ni	*We have a large / small garden*
Mae sied fawr yn yr ardd	*There's a large shed in the garden*
Mae e'n lle bach neis	*It's a nice little place*
Mae e'n dwll o le	*It's a dump*

Tasg - deialog

Rhowch y cwestiynau priodol i mewn yn y bylchau ac yna ymarfer y ddeialog.
Put the appropriate questions in the boxes and then practise the dialogue.

Ers pryd dych chi'n hoffi garddio?
Oes llawer o waith i wneud?
Dych chi'n byw mewn fflat?
Sawl ystafell wely sy gyda chi?

A: _____

B: Ydyn, dyn ni newydd symud i mewn.

A: _____

B: Dim ond dwy. Ond mae gardd fach gyda ni.

A: _____

B: Mae fy ngwraig i'n mynd i wneud hynny. Dw i'n mynd i weithio ar y fflat.

A: _____

B: Tipyn, oes. Rhaid i fi brynu llyfr DIY neu rywbeth!

Tasg

Ar ddarn o bapur, ysgrifennwch chwe gair sy'n dod i'r meddwl am eich tŷ chi, e.e. cegin, gardd, sied, parcio, soffa, teledu, hen, newydd. Mewn grwpiau o dri, siaradwch am le dych chi'n byw.

> *On a piece of paper, write six words which come to mind about your house, e.g. cegin, gardd, sied, parcio, soffa, teledu, hen, newydd. In groups of three, talk about where you live.*

Tasg *speed dating*

Edrychwch ar y lluniau yma. Llenwch y ffurflen yn disgrifio'r bobl, fel tasen nhw mewn noson *speed-dating*. Bydd rhaid i chi ddychmygu rhai manylion, yna'u trafod gyda'ch partner.

> *Look at these pictures. Fill in the form describing the people as though they had met in a speed-dating evening. You will have to imagine some details, then discuss them with your partner.*

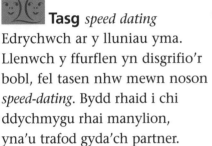

Enw	Enw
Gwaith	Gwaith
Golwg	Golwg
Byw mewn	Byw mewn
Ble	Ble

Gwrando

Gwrandewch ar y tâp a llenwi'r grid. Byddwch chi'n clywed y cyfan dair gwaith.

> *Listen to the tape and fill in the grid. You will hear everything three times.*

Enw	golwg	byw mewn	ble	ystafelloedd	gardd

Cwrs Sylfaen: Uned 5

 ## Geirfa

golwg	-	*appearance*
golygus	-	*good-looking*
parcio	-	*to park*
salw	-	*ugly*

**Ychwanegwch eirfa
sy'n berthnasol i chi:**
*Add vocabulary that's
relevant to you:*

_____

_____

_____

_____

 ## Gramadeg

Cofiwch am y treiglad meddal
wrth ddisgrifio a defnyddio **yn / 'n**:
Remember the treiglad meddal
when describing and using **yn / 'n**:

tew	-	Mae e'n dew
pwysig	-	Mae e'n bwysig
cyfoethog	-	Mae e'n gyfoethog

Dyw berfau **ddim** yn treiglo yma - mae hwn yn **yn / 'n** gwahanol:
*Verbs do **not** have a* treiglad *here - this is a different* **yn / 'n**:

talu	-	Mae e'n talu
prynu	-	Mae e'n prynu
cerdded	-	Mae e'n cerdded

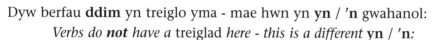 ## Geirfa Graidd - **unedau 1–5**

ardal (b)	-	*area*	golwg	-	*appearance*
cwrdd (â)	-	*to meet*	golygus	-	*good-looking*
cyfoethog	-	*rich*	gorffen	-	*to finish*
cyrraedd	-	*to arrive*	newydd	-	*has/have just (+ TM)*
dechrau	-	*to start*	parcio	-	*to park*
dewis	-	*to choose*	rhywun	-	*someone*
digon	-	*enough*	salw	-	*ugly*
dod yn ôl	-	*to come back*	sawl gwaith	-	*several times*
enwog	-	*famous*	twll o le	-	*a dump*
erioed	-	*ever/never*	unwaith	-	*once*
ers	-	*since*	yn ddiweddar	-	*recently*
gadael	-	*to leave*			

Rhestr gyfair *Check list*

✔ **Ticiwch beth dych chi'n gallu wneud.** *Tick what you can do.*

☐ Dw i'n gallu siarad am fy manylion personol (enw, ble dw i'n byw, rhif ffôn, oedran, gwaith, diddordebau), holi rhywun arall am ei fanylion personol, a siarad am fanylion personol pobl eraill

I can talk about my personal details (name, where I live, telephone number, age, work, interests), ask someone else for their personal details, and talk about the personal details of other people

☐ Dw i'n gallu siarad am fy nheulu ac am fy eiddo, holi rhywun arall am ei deulu a'i eiddo, a siarad am deulu ac eiddo pobl eraill

I can talk about my family and possessions, ask someone else about their family and possessions, and talk about other people's family and possessions

☐ Dw i'n gallu dweud ble es i ar fy ngwyliau, holi rhywun arall am ei wyliau a siarad am wyliau pobl eraill

I can say where I went on holiday, ask someone else about their holiday, and talk about other people's holidays

☐ Dw i'n gallu dweud beth wnes i yn y gorffennol a phryd, holi beth wnaeth rhywun arall yn y gorffennol a phryd a dweud beth wnaeth rhywun arall yn y gorffennol a phryd

I can say what I did in the past and when, ask what someone else did in the past and when, and say what someone else did in the past and when

☐ Dw i'n gallu dweud stori yn y gorffennol gan roi digwyddiadau mewn trefn

I can tell a story in the past tense putting events in order

☐ Dw i'n gallu dweud beth oedd rhaid i fi wneud

I can say what I had to do

☐ Dw i'n gallu rhoi cyngor i rywun gan ddefnyddio **rhaid**

*I can give someone advice using **rhaid***

☐ Dw i'n gallu dweud beth dw i wedi wneud ac ers pryd

I can say what I have done and since when I have been doing it

☐ Dw i'n gallu holi beth mae rhywun arall wedi wneud ac ers pryd

I can ask what someone else has done and since when they have been doing it

☐ Dw i'n gallu dweud beth mae rhywun arall wedi wneud ac ers pryd

I can say what someone else has done and since when they have been doing it

☐ Dw i'n gallu dweud beth dw i newydd wneud

I can say what I have just done

☐ Dw i'n gallu holi rhywun arall beth mae e neu hi newydd wneud

I can ask someone else what they have just done

☐ Dw i'n gallu dweud beth mae rhywun arall newydd wneud

I can say what someone else has just done

☐ Dw i'n gallu disgrifio person a lle

I can describe a person and a place

Cwrs Sylfaen: Uned 6

Nod: Trafod problemau a chwyno *Discussing problems and complaining*

1.

Mae rhywbeth yn bod arna i	*There's something the matter with me*
Mae rhywbeth yn bod arno fe	*There's something the matter with him*
Mae rhywbeth yn bod arni hi	*There's something the matter with her*
Does dim byd yn bod arnon ni	*There's nothing the matter with us*
Does dim byd yn bod arnat ti	*There's nothing the matter with you*
Does dim byd yn bod arnoch chi	*There's nothing the matter with you*
Beth sy'n bod arnat ti?	*What's the matter with you?*
Beth sy'n bod arnoch chi?	*What's the matter with you?*
Beth sy'n bod arnyn nhw?	*What's the matter with them?*

 Tasg

Taflu'r disiau - bydd eich tiwtor yn rhoi
disiau i chi ymarfer y patrymau hyn.
*Your tutor will give you dice to
practise these patterns.*

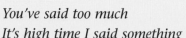

2.

Rwyt ti wedi dweud gormod	*You've said too much*
Mae'n hen bryd i fi ddweud rhywbeth	*It's high time I said something*
Mae e wedi mynd i'r gwaith	*He's gone to work*
Mae'n hen bryd iddo fynd i rywle	*It's high time he went somewhere*
Mae hi wedi gorffen y gwaith	*She's finished the work*
Mae'n hen bryd iddi wneud rhywbeth	*It's high time she did something*
Maen nhw wedi talu am y bwyd	*They've paid for the food*
Mae'n hen bryd iddyn nhw dalu am rywbeth	*It's high time they paid for something*

Tasg

Darllenwch y brawddegau isod. Dwedwch 'Mae'n hen bryd....'
mewn ymateb i'r sefyllfa a ddisgrifir. Cofiwch fod pobl yn hepgor
y geiriau **fe** / **hi** yn aml mewn patrymau fel 'arno **fe**' neu 'iddi **hi**'.

*Read the sentences below. Say 'Mae'n hen bryd...' in response
to the situation described. Remember that people often leave
out the words* **fe** / **hi** *in patterns like* 'arno **fe**' *or* 'iddi **hi**'.

e.e.   Mae'r plant wedi codi

. . . Mae'n hen bryd iddyn nhw fynd i'r ysgol

Mae John wedi cael digon o weithio! **. . .**

Mae Mary'n smygu pum deg y dydd! **. . .**

Dw i'n rhy dew! **. . .**

Mae'r goleuadau traffig yma ers misoedd! **. . .**

Mae Gwen yn cwyno drwy'r amser **. . .**

Dyw Alun ddim yn deall y cyfrifiadur **. . .**

Mae hi'n bwrw eira ers dyddiau! **. . .**

Does neb yn gallu siarad Cymraeg yma! **. . .**

3.	Mae e'n rhy ddrud	*It's too expensive*
	Mae e'n rhy fawr	*It's too big*
	Mae e'n rhy anodd	*It's too difficult*
	Dw i ddim yn gallu ddeall e	*I can't understand it*
	Dw i ddim yn gallu fforddio fe	*I can't afford it*
	Dw i ddim yn gallu wneud e	*I can't do it*
	Arnat ti mae'r bai	*You're to blame / It's your fault*
	Arnoch chi mae'r bai	*You're to blame / It's your fault*
	Arno fe oedd y bai	*It was his fault*
	Arni hi oedd y bai	*It was her fault*
	Ar Sali oedd y bai	*It was Sali's fault*
	Arna i mae'r bai?	*Is it my fault?*
	Arnoch chi oedd y bai?	*Was it your fault?*
	Ie / Nage	*Yes / No*

Tasg - deialog

Gyda'ch partner, darllenwch y brawddegau isod a'u gosod yn y drefn iawn.
With your partner, read the sentences below and put them in the correct order.

- [ ] Pam beth? Beth wyt ti eisiau wybod?
- [ ] Wyt ti'n sâl ers tipyn?
- [ ] Dw i'n gweld. Dyna esbonio pam.
- [ ] Ble mae'r tŷ bach?
- [ ] Oedd, dw i'n meddwl. Beth oedd ynddo fe?
- [ ] Nac ydw, dim ond ers i ni gael swper.
- [ ] Oes. Dw i ddim yn teimlo'n rhy dda.
- [ ] Ga i ofyn rhywbeth i ti?
- [ ] Cei, wrth gwrs. Oes rhywbeth yn bod?
- [ ] Tipyn bach o bopeth, a beth oedd ar ôl ers ddoe.
- [ ] Beth? Oedd rhywbeth yn bod ar y bwyd?

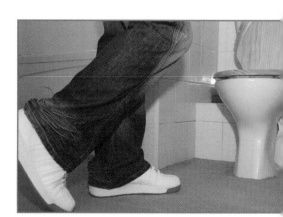

Geirfa

esbonio	-	*to explain*
ynddo fe	-	*in it*
		(*compare with* arno fe)
ar ôl	-	*left over*

Ychwanegwch eirfa sy'n berthnasol i chi:
Add vocabulary that's relevant to you:

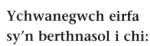

_____

_____

_____

Tasg - ysgrifennu a siarad

Edrychwch ar y ffotograff o ddamwain car. Mewn parau, meddyliwch am frawddegau Cymraeg fasai'n ddefnyddiol mewn sefyllfa fel hon. Peidiwch meddwl beth dych chi eisiau ddweud, ond beth dych chi'n gallu ddweud.

Look at the photograph of a car accident. In pairs, think of Welsh sentences which would be useful in a situation like this. Don't think what you want to say, but what you can say.

ⓖ Gramadeg

1. Yn yr ymadrodd 'Mae rhywbeth yn bod ar John', ystyr 'ar' yw 'with'. Fel arfer, 'on' yw'r ystyr. Mae'n newid os oes gair fel fi / i / ti / fe / hi / ni / chi / nhw yn dod ar ei ôl. Dyma'r patrwm mewn tabl taclus:

In the phrase 'Mae rhywbeth yn bod ar John', the word 'ar' means 'with'. Usually, it means 'on'. It changes if there is a word like fi / i / ti / fe / hi / ni / chi / nhw *following. Here is the pattern in a neat table:*

ar John		
	arna i	*on me/with me*
	arnat ti	*on you/with you*
	arno fe	*on him/with him*
	arni hi	*on her/with her*
	arnon ni	*on us/with us*
	arnoch chi	*on you/with you*
	arnyn nhw	*on them/with them*

2. Mae'r patrwm yn debyg i'r gair bach 'i' mewn ymadrodd fel 'Mae'n hen bryd iddo fe fynd', neu 'Rhaid iddyn nhw fynd'. Dyma'r patrwm hwn eto mewn tabl:

The pattern is similar for the little word 'i' in phrases like 'Mae'n hen bryd iddo fe fynd', or 'Rhaid iddyn nhw fynd'. Here's this pattern again in a table:

i Mair		
	i fi	*to me/for me*
	i ti	*to you/for you*
	iddo fe	*to him/for him*
	iddi hi	*to her/for her*
	i ni	*to us/for us*
	i chi	*to you/for you*
	iddyn nhw	*to them/for them*

3. Mewn ymadrodd fel 'Dw i ddim yn gallu ddeall e', mae'r treiglad ar ddechrau 'deall' wedi ei achosi gan 'ei' sydd ddim yn cael ei ddweud. Weithiau, byddwch chi'n gweld y fersiwn llawn yn cael ei ysgrifennu, e.e. 'Dw i ddim yn gallu ei ddeall e'. Mae'n ddigon derbyniol hepgor y gair bach 'ei' mewn brawddegau fel hyn.

In phrases like 'Dw i ddim yn gallu ddeall e', the treiglad *at the beginning of* deall *is caused by an* ei *which is not pronounced. Sometimes, you will see the full version being written, e.g. 'Dw i ddim yn gallu ei ddeall e'. It's quite acceptable to leave the small word* ei *out in sentences like this one.*

Cwrs Sylfaen: Uned 7

Nod: Mynegi barn *Expressing an opinion*

1.

Mae Bryn yn iawn	*Bryn's fine*
Dw i'n meddwl bod Bryn yn iawn	*I think (that) Bryn's fine*
Mae Siân yn barod	*Siân's ready*
Dw i'n meddwl bod Siân yn barod	*I think Siân's ready*
Mae'r plant yn dost	*The children are ill*
Dw i'n meddwl bod y plant yn dost	*I think the children are ill*
Mae'r tiwtor yn hwyr	*The tutor's late*
Dw i'n meddwl bod y tiwtor yn hwyr	*I think the tutor's late*
Mae pen tost gyda Bryn	*Bryn's got a headache*
Dw i'n meddwl bod pen tost gyda Bryn	*I think Bryn's got a headache*
Mae problem gyda Siân	*Siân's got a problem*
Dw i'n meddwl bod problem gyda Siân	*I think Siân's got a problem*

 Tasg

Bydd eich tiwtor yn rhoi cardiau fflach i chi ymarfer brawddegau fel rhai 1.
Your tutor will give you flash cards to practise sentences like the ones in 1.

e.g. Bryn + iawn = Dw i'n meddwl bod Bryn yn iawn

2.

Dw i'n dwp	*I'm stupid*
Dw i'n meddwl mod i'n dwp	*I think (that) I'm stupid*
Rwyt ti'n barod	*You're ready*
Dw i'n meddwl fod ti'n barod	*I think you're ready*
Dych chi'n iawn	*You're right*
Dw i'n meddwl bod chi'n iawn	*I think you're right*

Mae e'n well	*He's better*
Dw i'n meddwl fod e'n well	*I think he's better*
Mae hi'n iawn	*She's fine*
Dw i'n meddwl bod hi'n iawn	*I think she's fine*
Dyn ni'n iawn	*We're fine*
Dw i'n meddwl bod ni'n iawn	*I think we're fine*
Beth wyt ti'n feddwl o Harry Potter?	*What do you think of Harry Potter?*
Beth wyt ti'n feddwl o Dr Who?	*What do you think of Dr Who?*
Beth yw dy farn di am *Lord of the Rings*?	*What's your opinion of* Lord of the Rings?

Tasg

Dwedwch eich barn am y bobl hyn:

Express your opinion about these people:

3.

Dw i'n credu mod i'n iawn	*I think I'm fine / right*
Falle fod ti'n iawn	*Perhaps you're fine / right*
Dw i'n siŵr bod hi'n iawn	*I'm sure she's fine / right*
Gobeithio bod ni ddim yn iawn	*I hope we're not right*
Ro'n i'n meddwl fod e'n ofnadwy	*I thought it was terrible*
Ro'n i'n meddwl bod hi'n dda	*I thought it was good*
Dwedodd Siân bod nhw'n wych	*Siân said they were excellent*

 **Tasg**

Trafodwch y rhaglenni, y ffilmiau a'r llyfrau hyn gan ddefnyddio'r sbardunau.

Discuss these programmes, films and books using the prompts.

Harry Potter	-	da iawn
Jaws	-	cyffrous
Lord of the Rings	-	iawn i blant
Star Wars	-	ofnadwy
Pride & Prejudice	-	diflas
Bridget Jones	-	addas i ferched
The Da Vinci Code	-	gwych
Coronation Street	-	doniol

Deialog

A: Dw i'n **dwp**.
B: Dw i ddim yn meddwl fod ti'n **dwp**.
A: Dwedodd **Bryn** mod i.
B: Paid gwrando arno **fe**.
A: Ond falle **fod e**'n iawn.
B: Wel, dw i ddim yn meddwl **fod e**.

Geirfa

doniol	-	*funny*
falle/efallai	-	*perhaps*
gwych	-	*wonderful, brilliant*
ofnadwy	-	*terrible*

Ychwanegwch eirfa sy'n berthnasol i chi:

Add vocabulary that's relevant to you:

_____

_____

_____

_____

Gramadeg

 1. Mae'n hawdd ffurfio patrwm gyda **bod**, e.e. Dw i'n meddwl bod Bryn yn iawn.
Rhaid cofio dileu'r **Mae** o'r ail ran:

It's easy to form the pattern with **bod**, *e.g.* Dw i'n meddwl bod Bryn yn iawn.
You must remember to delete the **Mae** *from the second part:*

Dw i'n meddwl + Mae Bryn yn iawn   = Dw i'n meddwl bod Bryn yn iawn.

2. Mae'r treigladau gyda **bod / fod** yn edrych yn gymhleth, ond dyn nhw ddim yn
bwysig iawn. Y rheswm dros y treiglad yw bod geiriau bach fel **fy / dy / ei** ar goll
o flaen y **bod**. Weithiau byddwch chi'n gweld y rhain wedi eu hysgrifennu'n llawn:

The mutations with **bod / fod** *look complicated, but aren't very important.
The reason for the mutation is that small words such as* **fy / dy / ei** *are
missing before* **bod.** *Sometimes you'll see these written fully:*

Dw i'n meddwl	fy	mod	i'n iawn
	dy	fod	ti'n iawn
	ei	fod	e'n iawn
	ei	bod	hi'n iawn
	ein	bod	ni'n iawn
	eich	bod	chi'n iawn
	eu	bod	nhw'n iawn

Mae'r gair bach cyntaf yn cael ei hepgor wrth siarad yn aml. Gwrandewch hefyd am:
The first small word is often left out in speech. Also listen out for:

bo fi	bo ni
bo ti	bo chi
bo fe	bo nhw
bod hi	

 3. Mae modd defnyddio'r rhan **bod** i gyfleu'r presennol neu'r gorffennol, e.e.
The **bod** *part of the sentence can be used to convey the past or present, e.g.*

Dw i'n meddwl bod Bryn yn iawn.   = *I think Bryn is fine / I think Bryn was fine.*

4. I ddweud 'it' yn Gymraeg, defnyddiwch **e/fe**. Os dych chi'n siarad am y
tywydd, neu'r amser, neu'n gwybod bod y peth yn fenywaidd, defnyddiwch **hi**.
To say 'it' in Welsh, use **e/fe**. *If you're talking about the weather,
or about time, or know the thing is feminine, use* **hi**.

Tasg - holiadur

Mynegi barn. Rhaid i chi feddwl am ddau beth ychwanegol i holi pobl yn eu cylch.

Expressing an opinion. You must think of two other things to ask people about.

Enw	Criced	Y Beatles	Margaret Thatcher	Caerdydd		

Dyma rai geiriau ychwanegol y gallwch chi eu defnyddio:

Here are some extra words you can use:

treisgar	-	*violent*
prysur	-	*busy*
hollol dwp	-	*completely stupid*
trist	-	*sad*
gwarthus	-	*disgraceful*

Tasg - siarad am ffilmiau neu raglenni teledu

Bydd eich tiwtor yn gofyn i chi ddewis ffilm neu raglen deledu.
Ysgrifennwch eiriau defnyddiol i siarad am y ffilm neu'r rhaglen.
Bydd rhaid i chi drafod y ffilm neu'r rhaglen o'ch dewis mewn grwpiau.

Your tutor will ask you to choose a film or television programme.
Write down useful words to talk about the film or programme.
You will have to discuss the film or the programme of your choice in groups.

Cwrs Sylfaen: Uned 8

Nod: Disgrifio yn y gorffennol *Describing in the past*

1.

Ro'n i'n byw yn Abertawe	*I used to live in Swansea*
Ro'n i'n gweithio mewn swyddfa	*I used to work in an office*
Ro'n i'n arfer mynd i'r Llew Du	*I used to go to the Black Lion*
Ro'n i'n chwarae golff bob dydd Sadwrn	*I used to play golf every Saturday*
Ro'n i'n nabod Catherine Zeta Jones	*I used to know Catherine Zeta Jones*
Ble o't ti'n byw?	*Where did you use to live?*
Ble o't ti'n gweithio?	*Where did you use to work?*
Beth o't ti'n arfer wneud?	*What did you use to do?*
O't ti'n nabod Catherine Zeta Jones?	*Did you know / Did you use to know Catherine Zeta Jones?*
O'ch chi'n nabod Catherine Zeta Jones?	*Did you know / Did you use to know Catherine Zeta Jones?*
O'n, ro'n i'n byw drws nesa iddi hi	*Yes, I used to live next door to her*
Nac o'n, do'n i ddim yn ei nabod hi	*No, I didn't know her*

Tasg

Mewn parau, cymerwch eich tro i fynd drwy'r sbardunau hyn,
gan ddefnyddio'r brawddegau uchod:

In pairs, take it in turns to go through these prompts, using the above sentences:

1. Aberystwyth • banc • King's Head • tennis • Dafydd Wigley

2. Bangor • ysgol • Globe • sboncen • Julie Christie

3. Llandrindod • ar fferm • Llew Du • criced • Siân Lloyd

4. Llundain • amgueddfa • Crown • dartiau • Bill Clinton

Tasg - y flwyddyn

Mae'n hawdd dweud y flwyddyn yn
Gymraeg: dwedwch **Ym mil + y tri rhif nesaf.**
O 2,000 ymlaen, rhaid dweud **Yn nwy fil a** ....

> *It's easy to refer to the year in Welsh:*
> *say* **Ym mil** + *the next three digits.*
> *From 2,000 onwards, you must say* **Yn nwy fil a** ...

1980	1874
1845	1998
1965	1903
2004	2010
1405	1995

Tasg - grid gwybodaeth

Llenwch y grid o'r rhestri a gofynnwch i'ch partner ble oedd e/hi'n
byw, ble oedd e/hi'n gweithio ac a oedd e/hi'n nabod y person yn y golofn olaf.

> *Fill in the grid from the lists and ask your partner where he/she used to*
> *live, used to work and whether he/she knew the person in the last column.*

Byw: Castell-nedd, Caerfyrddin, Caerdydd, Abertawe, Aberystwyth,
         America, Awstralia, Llundain, Llanelli, Bangor, Wrecsam

Gweithio: mewn swyddfa, ar ffem, mewn ysgol, mewn siop, i'r cyngor,
              fel dyn tân, gyda'r heddlu, mewn ffatri, fel garddwr, mewn ysbyty

Blwyddyn	Byw	Gwaith	Nabod
1979			Mari ✘
1983			Siôn ✔
1989			Jac ✘
1992			Eleri ✘
2001			Elin ✘

2.

Roedd e'n ifanc	*He was young*
Roedd e'n hen	*He was old*
Roedd hi'n dal	*She was tall*
Roedd hi'n fyr	*She was short*
Roedd e'n gwisgo het	*He wore a hat*
Roedd hi'n gwisgo sbectol	*She wore spectacles*
Roedd gwallt hir gyda fe	*He had long hair*
Roedd gwallt byr gyda hi	*She had short hair*
Oedd e'n ifanc?	*Was he young?*
Oedd gwallt hir gyda hi?	*Did she have long hair?*
Oedd, roedd e'n ifanc iawn	*Yes, he was very young*
Nac oedd, ond roedd hi'n bert iawn	*No, but she was very pretty*

Tasg - disgrifio'r bobl

Edrychwch ar y lluniau hyn o bobl weloch chi ddoe. Disgrifiwch nhw i'ch partner.

Look at these pictures of people you saw yesterday. Describe them to your partner.

Percy

Arthur

Gavin

Noreen

Lance

Maureen

Eileen

Frank

Colleen

Doreen

3.

Pan o'n i'n ifanc, ro'n i'n arfer...	*When I was young I used to...*
gwisgo 'platfforms'	*wear platforms*
darllen y Beano	*read the Beano*
bwyta Wagon Wheels	*eat Wagon Wheels*
chwarae rygbi / hoci	*play rugby / hockey*
O'ch chi'n arfer gwisgo 'flares'?	*Did you use to wear 'flares'?*
O'n, pan o'n i'n ifanc	*Yes, when I was young*
Nac o'n, do'n i ddim yn gwisgo 'flares'	*No, I didn't use to wear 'flares'*

Tasg - siarad am y dyddiau a fu

Gofynnwch i'ch partner am bethau ro'ch chi'n arfer gwneud pan o'ch chi'n ifanc. Dyma rai syniadau:

Ask your partner about things you used to do when you were young. Here are some ideas:

edrych ar 'Thunderbirds'

mynd i'r ysgol Sul

mynd ar wyliau i Butlins

bwyta *sherbert fountains*

darllen Enid Blyton

Tasg - y tlawd a'r cyfoethog

Dych chi'n mynd i siarad am bobl oedd yn arfer bod yn gyfoethog. Meddyliwch am sut mae eu bywydau wedi newid. Ysgrifennwch un gair ym mhob bwlch a thrafod â'ch partner.

You're going to talk about people who used to be rich. Think about how their lives have changed. Write one word in each gap and discuss with your partner.

	Nawr maen nhw'n.... Nawr maen nhw'n byw mewn sied ym Merthyr Tudful.	Pan o'n nhw'n gyfoethog.... Pan o'n nhw'n gyfoethog, ro'n nhw'n arfer byw yn y Bahamas.
byw:	*Merthyr Tudful*	*Bahamas*
bwyta:		
yfed:		
gyrru:		
darllen:		
gwrando ar:		
siopa yn:		
mynd ar wyliau i:		
chwarae:		

Deialog

A: Pan o'n i'n blentyn ro'n i'n arfer **bwyta malwod**.

B: O't ti wir?

A: O'n, a phan o'n i'n ifanc roedd **gwallt hir oren** gyda fi.

B: Duw, Duw! Ble o't ti'n byw?

A: Ro'n i'n byw **ym Mhort Talbot**.

B: O't ti'n nabod **Anthony Hopkins**?

A: O'n, wrth gwrs. Roedd e yn yr un dosbarth â fi.

Gramadeg

The imperfect tense - *was/were* - tends to be used with **gwybod, nabod, hoffi/lico, byw, meddwl**, rather than the past tense, e.g.

> *I lived* - **Ro'n i'n byw** - *I was living, I used to live*
>
> *I knew (a person/place)* - **Ro'n i'n nabod** - *I was knowing, I used to know*

The Imperfect Tense – Yr Amherffaith

Ro'n i	O'n i?	O't/Nac o't	Do'n i ddim
Ro't ti	O't ti?	O'n/Nac o'n	Do't ti ddim
Roedd e	Oedd e?	Oedd/Nac oedd	Doedd e ddim
Roedd hi	Oedd hi?	Oedd/Nac oedd	Doedd hi ddim
Ro'n ni	O'n ni?	O'n/Nac o'n	Do'n ni ddim
Ro'ch chi	O'ch chi?	O'n/Nac o'n	Do'ch chi ddim
Ro'n nhw	O'n nhw?	O'n/Nac o'n	Do'n nhw ddim

As the above come from the verb 'bod' (to be) '**n** or **yn** is usually needed, e.g.

> Ro'n i**'n** mynd
>
> Doedd hi ddim **yn** byw

- unless saying where something or someone was, e.g.

> Ro'n nhw **ar** y llawr
>
> > *They were **on** the floor*
>
> Roedd hi **yn** y tŷ
>
> > *She was **in** the house*

Also listen out for:

The 'R' of the statement and the 'D' of the negative are often dropped in everyday speech, e.g.

> O'n i   *I was*
>
> O'n i ddim   *I wasn't*
>
> O'n i?   *Was I?*

The tone of voice will show the difference between the question and the statement.

Geirfa

arfer	-	*used to*
cyngor	-	*council*
drws nesa	-	*next door*
ffatri (b)	-	*factory*
garddwr	-	*gardener*
gwisgo	-	*to wear*
heddlu	-	*police*
het (b)	-	*hat*
hir	-	*long*
ifanc	-	*young*
malwod	-	*snails*
nabod	-	*to know (a person)*
tlawd	-	*poor*
yr un ... â	-	*the same...as*

Cwrs Sylfaen: Uned 9

Nod: Trafod beth sy'n well gyda chi wneud a'ch hoff / gas bethau
Discussing what you prefer to do and your favourite things / things you hate

1.

Mae'n well gyda fi goffi na the	*I prefer coffee to tea*
Mae'n well gyda fi olchi'r llestri na smwddio	*I prefer washing dishes to ironing*
Mae'n well gyda fi basta na reis	*I prefer pasta to rice*
Mae'n well gyda fi bysgota na garddio	*I prefer fishing to gardening*
Mae'n well gyda fi *Pobl y Cwm* na *Coronation Street*	*I prefer Pobl y Cwm to Coronation Street*
Mae'n well gyda fi fynd i'r dafarn nag edrych ar y teledu	*I prefer going to the pub to watching television*
Beth sy'n well gyda ti? Te neu goffi?	*What do you prefer? Tea or coffee?*
Oes well gyda ti de neu goffi?	*Do you prefer tea or coffee?*

Te a choffi	Te neu goffi	
Reis a phasta	Reis neu basta	
Coffi a the	Coffi neu de	
	a / ac	*and*
	na / nag	*than*
	neu	*or*

g Gramadeg

Mae treiglad meddal ar ôl **neu** (*or*).
Mae treiglad llaes (TCP) ar ôl **a** (*and*).
Mae treiglad llaes (TCP) ar ôl **na** (*than / to*).
Mae **na** yn troi yn **nag** o flaen llafariaid (*before vowels*).

Tasg - cardiau sbardun

Edrychwch ar y lluniau bach a'u trafod. Beth sy'n well gyda chi?

Bydd y tiwtor yn rhoi rhagor o gardiau i chi ymarfer y patrwm hwn mewn parau.

Look at these pictures and discuss them. What do you prefer?

Your tutor will give you more cards to practise this pattern in pairs.

2.		
Mae'n gas gyda fi fwydo'r gath		*I hate feeding the cat*
Mae'n gas gyda fi fynd â'r ci am dro		*I hate taking the dog for a walk*
Mae'n gas gyda fi siopa am ddillad		*I hate shopping for clothes*
Mae'n gas gyda fi yrru i'r gwaith		*I hate driving to work*
Dw i'n casáu ffonau symudol		*I hate mobile phones*
Dw i'n casáu cyfrifiaduron		*I hate computers*
Fy nghas beth i yw edrych		*The thing I hate most is*
ar operâu sebon		*watching soap operas*
Fy nghas beth i yw colli cerdyn credyd		*The thing I hate most is losing*
		my credit card
Fy nghas beth i yw talu biliau		*The thing I hate most is paying bills*
Beth sy'n gas gyda chi wneud?		*What do you hate doing?*
Beth dych chi'n casáu wneud?		*What do you hate doing?*
Beth dych chi ddim yn hoffi wneud?		*What don't you like doing?*
Beth yw'ch cas beth chi?		*What is the thing you hate most?*

Tasg - holiadur

Meddyliwch am dri pheth dych chi ddim yn hoffi wneud. Yna, cerwch o gwmpas y dosbarth yn holi pum person arall am eu cas bethau.

Think of three things you don't like doing. Then, go around the class asking five other people about the things they hate doing.

Enw	Ddim yn hoffi	Ddim yn hoffi	Ddim yn hoffi

3.

Fy hoff fwyd i yw pasta	*My favourite food is pasta*
Fy hoff ddiod i yw lager	*My favourite drink is lager*
Fy hoff lyfr i yw *Harry Potter*	*My favourite book is Harry Potter*
Fy hoff raglen i yw *Ffermio*	*My favourite programme is Ffermio*
Fy hoff beth i yw bwyta ma's	*My favourite thing is eating out*

neu Pasta yw fy hoff fwyd i   *Pasta is my favourite food*
Lager yw fy hoff ddiod i   *Lager is my favourite drink*

Beth yw'ch hoff fwyd chi?	*What's your favourite food?*
Beth yw'ch hoff ddiod chi?	*What's your favourite drink?*
Beth yw'ch hoff lyfr chi?	*What's your favourite book?*
Beth yw'ch hoff raglen chi?	*What's your favourite programme?*
Beth yw'ch hoff beth chi?	*What's your favourite thing?*

Tasg - gwaith pâr

Gyda'ch partner, trafodwch (*discuss*) beth yw'ch hoff fwyd, eich hoff ddiod, eich hoff lyfr, eich hoff raglen, eich hoff beth.

4.

Pa fath o fwyd dych chi'n hoffi?	*What sort of food do you like?*
Pa fath o raglen dych chi'n hoffi?	*What sort of programme do you like?*
Pa fath o raglen yw *Pobl y Cwm*?	*What sort of programme is* Pobl y Cwm?
Rhaglen newyddion yw hi	*It's a news programme*
Rhaglen ddogfen yw hi	*It's a documentary programme*
Rhaglen chwaraeon yw hi	*It's a sports programme*
Rhaglen gomedi yw hi	*It's a comedy programme*
Rhaglen gylchgrawn yw hi	*It's a magazine programme*
Rhaglen 'ffordd o fyw' yw hi	*It's a lifestyle programme*
Rhaglen sgwrsio yw hi	*It's a chat show*
Opera sebon yw hi	*It's a soap opera*

  Tasg - Beth sy ar y teledu? Darllen a Dyfalu
What's on television? Reading and Guessing

Gyda'ch partner, edrychwch ar y rhestr o raglenni sy ar y teledu heno.
Does dim rhaid i chi ddeall pob gair. Trafodwch pa fath o raglenni ydyn nhw.

With your partner, look at the list of programmes on television tonight.
You don't need to understand every word. Discuss what sort of programmes they are.

5.00 UNED 5
Rhaglen gylchgrawn i bobl ifanc
yn cynnwys eitemau, cystadlaethau
a gwesteion arbennig.

6.00 AR Y LEIN
Cyfle arall i weld rhaglen ola'r
gyfres sy'n dilyn taith Bethan
Gwanas o amgylch y byd. Yn y
rhaglen hon bydd hi'n ymweld
ag Ynysoedd Blasged oddi ar
arfordir Iwerddon; Dingle, Killarney,
Youghal a Waterford, cyn croesi
Môr Iwerddon a gorffen y daith
yn Llanymddyfri.

6.30 04 WAL
Yn y rhifyn hwn o 04 Wal, bydd
Aled Samuel yn ymweld â fflat
gyfoes ym Mae Caerdydd, cartref
artist ger Penrhyndeudraeth a
thŷ hynafol yn Nyffryn Nantlle.

7.00 WEDI 7
Bydd y canwr Bryn Fôn yn siarad
ag Angharad Mair yn y stiwdio.

7.30 NEWYDDION

7.55 Y TYWYDD

8.00 POBL Y CWM
Beth sy'n digwydd i Stacey?
Sut mae Kelly'n teimlo?
Straeon y dydd o Gwm Deri.

8.30 NOSON LAWEN
Noson o hwyl a chwerthin,
yng nghwmni Ifan Gruffydd, o
fferm ger Pencader. Hefyd, bydd
côr Newyddion Da yn canu.

drosodd →

9.20 Y SINGHS

Rhaglen arbennig yn bwrw golwg dros ddoniau anhygoel dwy chwaer a brawd o Landybie ger Llandeilo, sydd eisoes wedi gwneud enw iddyn nhw eu hunain yn y byd cerddorol. Mae Rakhi Singh sy'n 23 oed, ei brawd Davi sy'n 20 oed, a'u chwaer Simmy sy'n 15 oed yn canu'r ffidil i safon broffesiynol, a phob un o'r tri am ennill ei fara menyn fel chwaraewyr proffesiynol. Bydd y rhaglen hon yn dilyn hynt a helynt y tri ac yn eu dangos yn perfformio gyda'i gilydd.

10.10 RYGBI'R BYD

Gemau'r penwythnos o gynghrair Ffrainc a'r gêm fawr rhwng Seland Newydd ac Awstralia.

Cofiwch edrych ar S4C - am ragor o fanylion, edrychwch ar y wefan www.s4c.co.uk

Geirfa

bwydo	- *to feed*
cerddorol	- *musical*
cyfres (b)	- *series*
cynghrair (b)	- *league*
cystadleuaeth (cystadlaethau) (b)	- *competition(s)*
ffôn symudol	- *mobile phone*
golchi'r llestri	- *to wash the dishes*
gwefan (b)	- *website*
gwestai (gwesteion)	- *guest(s)*
manylion	- *details*
opera sebon (b)	- *soap opera*
pobl ifanc	- *young people*
reis	- *rice*
rhaglen (b)	- *programme*
rhaglen 'ffordd o fyw'	- *lifestyle programme*
rhaglen chwaraeon	- *sports programme*
rhaglen ddogfen	- *documentary programme*
rhaglen gomedi	- *comedy programme*
rhaglen gylchgrawn	- *magazine programme*
rhaglen newyddion	- *news programme*
rhaglen sgwrsio	- *chat show*
w driphlyg	- *www*

Ychwanegwch eirfa sy'n berthnasol i chi:

Add vocabulary that's relevant to you:

Cwrs Sylfaen: Uned 10

Nod: Adolygu ac ymestyn *Revision and extension*

1.

Dw i'n meddwl bod Bryn yn iawn	*I think Bryn's fine / right*
Dw i'n meddwl bod Siân yn barod	*I think Siân's ready*
Dw i'n meddwl bod y plant yn mynd	*I think the children are going*
Ro'n i'n meddwl fod e'n iawn	*I thought he was fine / right*
Ro'n i'n meddwl bod hi'n barod	*I thought she was ready*
Ro'n i'n meddwl bod nhw'n mynd	*I thought they were going*
Beth dych chi'n feddwl o...	*What do you think of...*
Beth o'ch chi'n feddwl o...	*What did you think of...*

Tasg

Gyda'ch partner, trafodwch y bobl yn y ffotograffau.
Beth dych chi'n feddwl ohonyn nhw?

With your partner, discuss the people in the photographs.
What do you think of them?

2.

Dw i'n siwr bod rhywbeth yn bod arno fe	*I'm sure there's something the matter with him*
Dw i'n siwr bod rhywbeth yn bod arni hi	*I'm sure there's something the matter with her*
Falle bod rhywbeth yn bod ar y plant	*Perhaps there's something the matter with the children*
Falle bod rhywbeth yn bod arnyn nhw	*Perhaps there's something the matter with them*
Oes rhywbeth yn bod ar John?	*Is there something the matter with John?*
Oes rhywbeth yn bod ar Siân?	*Is there something the matter with Siân?*

Tasg - ffitio'r disgrifiad

Pwy neu beth sy'n ffitio'r disgrifiad? Gyda'ch partner, meddyliwch am rywun neu rywbeth sy'n ffitio'r ansoddeiriau yn y rhestr, e.e. **diflas** - Dyn ni'n meddwl bod *Eastenders* yn ddiflas.

Who or what fits the description? With your partner, think of someone or something that fits the adjectives in the list, e.g. **diflas** - *Dyn ni'n meddwl bod* Eastenders *yn ddiflas.*

cyffrous	gwreiddiol
golygus	talentog
doniol	salw
plentynnaidd	blasus

3.
Ro'n i'n byw yn Llundain ym 1985	*I lived in London in 1985*
Ro'n i'n gweithio fel nyrs ym 1985	*I worked as a nurse in 1985*
Roedd Ford Cortina gyda fi ym 1985	*I had a Ford Cortina in 1985*
Ble o'ch chi'n byw ym 1985?	*Where did you live in 1985?*
Beth o'ch chi'n wneud ym 1985?	*What did you do in 1985?*
Beth o'ch chi'n yrru ym 1985?	*What were you driving in 1985?*

Tasg - grid y gorffennol

Llenwch y bylchau yn y grid, a dewis unrhyw flwyddyn i'w rhoi yn y rhes olaf. Does dim rhaid i chi ddweud y gwir! Yna, trafodwch â'ch partner.

Fill in the gaps in the grid, and choose any year to put in the last row.
You do not have to tell the truth! Then, discuss with your partner.

Blwyddyn	Byw	Gweithio	Gyrru
1969			
1975			
1989			
2001			

4.

Mae'n well gyda fi fynd am dro na darllen	*I prefer going for a walk to reading*
Mae'n well gyda fi ddarllen nag edrych ar y teledu	*I prefer reading to watching television*
Mae'n well gyda fi edrych ar y teledu na smwddio	*I prefer watching television to ironing*
Mae'n well gyda fi smwddio na golchi'r llestri	*I prefer ironing to washing the dishes*

Gêm gadwyn

Rhaid i chi feddwl am weithgaredd neu unrhyw beth sy'n waeth na beth ddwedwyd gan y person o'ch blaen. Bydd y tiwtor yn helpu.

You must think of an activity or anything which is worse than what was said by the person before you. Your tutor will help.

5.

Fy hoff fwyd i yw pasta	*My favourite food is pasta*
Fy hoff ddiod i yw gwin coch	*My favourite drink is red wine*
Fy hoff raglen i yw *Pobl y Cwm*	*My favourite programme is Pobl y Cwm*
Fy hoff ganwr i yw Pavarotti	*My favourite singer (m) is Pavarotti*
Fy hoff gantores i yw Katherine Jenkins	*My favourite singer (f) is Katherine Jenkins*
Fy hoff actor i yw Ioan Gruffudd	*My favourite actor (m) is Ioan Gruffudd*
Fy hoff actores i yw Catherine Zeta Jones	*My favourite actor (f) is Catherine Zeta Jones*
Beth yw dy hoff fwyd di?	*What's your favourite food?*
Beth yw ei hoff fwyd e?	*What's his favourite food?*
Beth yw ei hoff fwyd hi?	*What's her favourite food?*
Pwy yw'ch hoff actor / actores chi?	*Who's your favourite actor?*
Pwy yw'ch hoff ganwr / gantores chi?	*Who's your favourite singer?*

Tasg - hoff actorion a chantorion

Mewn grwpiau o dri, trafodwch eich hoff actor/actores a'ch hoff ganwr/gantores. Ysgrifennwch restr o dri ym mhob categori a thrafod i weld pwy yw hoff actor/actores a hoff ganwr/gantores y grŵp cyfan. Yna bydd eich tiwtor yn gofyn i chi pwy dych chi wedi eu dewis, a'ch rheswm dros eich dewis.

In groups of three, discuss your favourite actor (male and female) and your favourite singer (male and female). Write a list of three for each category and come to a decision as a group as to your favourite. Your tutor will then ask you who you have chosen, and the reason for your choice.

Ein hoff actor ni yw: _____

Ein hoff actores ni yw: _____

Ein hoff ganwr ni yw: _____

Ein hoff gantores ni yw: _____

Dyn ni'n meddwl fod e'n... _____

Dyn ni'n meddwl bod hi'n... _____

Deialog

A: Mae'n hen bryd i ti orffen.

B: Wyt ti'n meddwl mod i'n mynd yn rhy hen?

A: Rwyt ti wedi troi chwe deg.

B: Mae fy nghoesau i'n gweithio'n iawn!

A: Ond rwyt ti'n edrych yn flinedig.

B: Dim arna i mae'r bai am hynny.

A: Beth sy'n bod arnat ti felly?

B: Dw i wedi bod yn rhedeg ers tair awr!

Newidiwch y ddeialog i siarad am Trefor, e.e. Mae'n hen bryd i Trefor orffen.
Change the dialogue to talk about Trefor.

Gwrando

Gwrandewch ar y drafodaeth hon am raglennni teledu neithiwr a llenwch y grid gwybodaeth.
Byddwch chi'n clywed y ddeialog dair gwaith. Does dim rhaid i chi ddeall popeth!

*Listen to this discussion about last night's television programmes and fill in the information
grid. You will hear the dialogue three times. You don't need to understand everything!*

Enw'r rhaglen	Amser	Pa fath...	Barn

Ar ôl gorffen, trafodwch yr wybodaeth yn eich grid gyda'ch partner.
After finishing, discuss the information in your grid with your partner.

Mastermind!

Beth wyt ti'n feddwl o Tony Blair?
Beth o't ti'n feddwl o'r Rolling Stones?
Ble o't ti'n byw ym 1989?
Beth o't ti'n wneud ym 1989?
Oes well gyda ti de neu goffi yn y bore?
Beth wyt ti ddim yn hoffi wneud?
Beth yw dy hoff fwyd di?
Beth yw dy hoff ddiod di?
Pwy yw dy hoff ganwr / gantores di?
Pwy yw dy hoff actor / actores di?

 Geirfa

anfon tecst	-	*to send a text*
barn (b)	-	*opinion*
blasus	-	*tasty*
cân (caneuon) (b)	-	*song(s)*
cefn gwlad	-	*countryside*
cyffrous	-	*exciting*
cymharu	-	*to compare*
cytuno	-	*to agree*
e-bost	-	*e-mail*
ffordd o fyw (b)	-	*way of life*
naturiol	-	*natural*
plentynnaidd	-	*childish*
prisiau tai	-	*house prices*
talentog	-	*talented*

**Ychwanegwch eirfa
sy'n berthnasol i chi:**
*Add vocabulary that's
relevant to you:*

_____

_____

_____

Rhestr gyfair *Check list*

✔ Ticiwch beth dych chi'n gallu wneud. *Tick what you can do.*

☐ Dw i'n gallu dweud bod rhywbeth yn bod arna i ac ar bobl eraill
   I can say something is the matter with me and with other people

☐ Dw i'n gallu holi beth sy'n bod ar rywun arall
   I can ask what's wrong with someone else

☐ Dw i'n gallu dweud bod hi'n hen bryd i fi wneud rhywbeth
   I can say it's high time I did something

☐ Dw i'n gallu dweud bod hi'n hen bryd i rywun arall wneud rhywbeth
   I can say it's high time someone else did something

☐ Dw i'n gallu dweud mai ar rywun neu rywbeth mae'r bai
   I can say it's someone or something's fault

☐ Dw i'n gallu dweud bod rhywbeth yn rhy anodd, rhy ddrud etc.
   I can say something is too difficult, too expensive etc.

☐ Dw i'n gallu mynegi barn drwy ddefnyddio **bod**
   I can express an opinion using **bod**

☐ Dw i'n gallu holi barn rhywun arall
   I can ask someone else's opinion

☐ Dw i'n gallu dweud beth o'n i'n arfer wneud, e.e. pan o'n i'n ifanc
   I can say what I used to do, e.g. when I was young

☐ Dw i'n gallu holi beth oedd rhywun arall yn arfer wneud
   I can ask what someone else used to do

☐ Dw i'n gallu disgrifio pethau yn y gorffennol
   I can describe things in the past

☐ Dw i'n gallu dweud beth sy'n well gyda fi
   I can say what I prefer

☐ Dw i'n gallu holi beth sy'n well gyda rhywun arall
   I can ask what someone else prefers

☐ Dw i'n gallu dweud beth sy'n well gyda phobl eraill
   I can say what other people prefer

☐ Dw i'n gallu dweud beth sy'n gas gyda fi
   I can say what I hate

☐ Dw i'n gallu holi beth sy'n gas gyda rhywun arall
   I can ask what someone else hates

☐ Dw i'n gallu dweud beth sy'n gas gyda phobl eraill
   I can say what other people hate

☐ Dw i'n gallu siarad am fy hoff/gas bethau
   I can talk about my favourite things and things I hate

☐ Dw i'n gallu holi am hoff/gas bethau
   I can ask about favourite things and things people hate

Geirfa Graidd - unedau 6–10

ar ôl	-	left over
arfer	-	used to
barn (b)	-	opinion
blasus	-	tasty
bwydo	-	to feed
cân (caneuon) (b)	-	song(s)
cerddorol	-	musical
cyfres (b)	-	series
cyffrous	-	exciting
cynghrair (b)	-	league
cyngor	-	council, advice
cymharu	-	to compare
cystadleuaeth (cystadlaethau) (b)	-	competition(s)
cytuno	-	to agree
doniol	-	funny
drws nesa	-	next door
esbonio	-	to explain
falle/efallai	-	perhaps
ffatri (b)	-	factory
ffôn symudol	-	mobile phone
garddwr	-	gardener
golchi'r llestri	-	to wash the dishes
gwefan (b)	-	website
gwestai (gwesteion)	-	guest(s)
gwisgo	-	to wear
gwych	-	wonderful, brilliant
heddlu	-	police

het (b)	-	hat
hir	-	long
ifanc	-	young
malwod	-	snails
manylion	-	details
nabod	-	to know (a person)
naturiol	-	natural
ofnadwy	-	terrible
opera sebon (b)	-	soap opera
plentynnaidd	-	childish
pobl ifanc	-	young people
reis	-	rice
rhaglen(ni) (b)	-	programme(s)
rhaglen chwaraeon	-	sports programme
rhaglen ddogfen	-	documentary programme
rhaglen 'ffordd o fyw'	-	lifestyle programme
rhaglen gomedi	-	comedy programme
rhaglen gylchgrawn	-	magazine programme
rhaglen newyddion	-	news programme
rhaglen sgwrsio	-	chat show
talentog	-	talented
tlawd	-	poor
w driphlyg	-	www
ynddo fe	-	in it
yr un ... â	-	the same...as

Cwrs Sylfaen: Uned 11

Nod: Siarad am ble gaethoch chi eich geni a'ch magu
Talking about where you were born and brought up

1.

Ges i fy ngeni yn Abertawe	*I was born in Swansea*
Ges i fy ngeni ym mis Mehefin	*I was born in June*
Ges i fy ngeni ym mil naw saith dau	*I was born in 1972*
Ges i fy ngeni yn y pumdegau	*I was born in the fifties*
Ble gest ti dy eni?	*Where were you born?*
Ble gaethoch chi eich geni?	*Where were you born?*
Pryd gest ti dy eni?	*When were you born?*
Pryd gaethoch chi eich geni?	*When were you born?*

 Tasg

Gofynnwch i o leia 8 person arall lenwi'r holiadur (*questionnaire*) yma:

Enw	Ble	Pryd

2.

Gaeth e ei eni yng Nghymru	*He was born in Wales*
Gaeth e ei eni yn Iwerddon	*He was born in Ireland*
Gaeth hi ei geni yn yr Alban	*She was born in Scotland*
Gaeth hi ei geni yng ngogledd Lloegr	*She was born in the north of England*
Ble gaeth e ei eni?	*Where was he born?*
Ble gaeth hi ei geni?	*Where was she born?*
Gaeth e ei fagu yng Nghaerdydd	*He was brought up in Cardiff*
Gaeth hi ei magu ym Mangor	*She was brought up in Bangor*

Tasg

Siaradwch am y bobl eraill yn y dosbarth, gan ofyn y cwestiynau hyn.
Talk about the other people in the class, using these questions.

Deialog

A: Ble gest ti dy eni?
B: **Yn Abertawe**.
A: Gest ti dy fagu yno hefyd?
B: Do, ges i fy magu **ym Mlaen-y-maes**.
A: Gaeth **Siân** ei magu yno?
B: Do. Roedd hi'n byw yn yr un stryd â fi.
A: Jiw! Byd bach!

Newidiwch y rhannau sy mewn llythrennau trwm.
Change the parts in bold type.

![image]()

Tasg - trafod y ffotograffau
Siaradwch am y ffotograffau.

Ble gaeth e ei eni?
Ble gaeth hi ei geni?
Cysylltwch y frawddeg â'r llun.
> *Connect the sentence to the picture.*

Mae Tom yn dod o Aberystwyth

Mae Siân yn dod o Fangor

Mae Iolo'n dod o Abertawe

Mae Lowri'n dod o'r Wyddgrug

Mae Mair yn dod o Gasnewydd

Mae Edwin yn dod o Langollen

Mae Lleucu'n dod o Gaerdydd

3.	Gaeth John ei weld		*John was seen*
	Gaeth e ei glywed		*He was heard*
	Gaeth e ei dalu		*He was paid*
	Gaeth e ei ddihuno		*He was woken*
	Gaeth Siân ei gweld		*Siân was seen*
	Gaeth hi ei chlywed		*She was heard*
	Gaeth hi ei thalu		*She was paid*
	Gaeth hi ei dihuno		*She was woken*
	Beth ddigwyddodd i John?		*What happened to John?*
	Gaeth hi ei stopio gan yr heddlu?		*Was she stopped by the police?*
	Do / Naddo		*Yes / No*

Gramadeg

Falle y byddwch chi'n clywed neu'n gweld y ffurf **Cafodd** mewn Cymraeg mwy ffurfiol, e.e. wrth wrando ar y newyddion, neu wrth ddarllen llyfrau.

*You may hear or see the form **Cafodd** in more formal Welsh, e.g. when listening to the news, or when reading books.*

Cofiwch am y treigladau gwahanol:

Gaeth e ei + Treiglad Meddal   e.e. Gaeth e ei **g**lywed
Gaeth hi ei + Treiglad Llaes (TCP)   e.e. Gaeth hi ei **ch**lywed

 ## Tasg - Beth ddigwyddodd i...?

Beth ddigwyddodd i'r bobl yma?
Ffurfiwch frawddeg gan ddefnyddio'r sbardunau.
Form sentences using the prompts.

Beth ddigwyddodd i Bryn?

e.e.   Bryn   + dihuno   + y sŵn   =   Gaeth Bryn ei ddihuno gan y sŵn
                                                            Bryn was woken by the sound

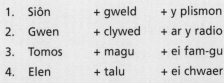

1.	Siôn	+ gweld	+ y plismon
2.	Gwen	+ clywed	+ ar y radio
3.	Tomos	+ magu	+ ei fam-gu
4.	Elen	+ talu	+ ei chwaer
5.	Gareth	+ geni	+ yng ngogledd Cymru

 # Geirfa

byd	-	*world*
digwydd	-	*to happen*
dihuno	-	*to wake up*
geni	-	*to be born*
jiw!	-	*good heavens!*
		(from 'Duw' – God)
magu	-	*to bring up, to raise*
pumdegau	-	*fifties*
yr un ... â	-	*the same ... as*

Ychwanegwch eirfa sy'n berthnasol i chi:

Add vocabulary that's relevant to you:

_____

_____

_____

_____

Gramadeg

Defnyddio'r 'goddefol' - rhywbeth yn cael ei wneud **i chi** neu rywun arall.
*Using the 'passive' - something being done **to you** or someone else.*

e.e.   Gaeth e ei eni yn Abertawe   -   *He was born in Swansea*
                                                  (or 'He had his borning [!]...')
        Don't be tempted to use 'roedd' for 'was' in examples like these.

        You can use 'cael' with other tenses as well:

e.e.   Mae e'n cael ei weld   *He is being seen*
        Mae e wedi cael ei weld   *He has been seen*

Dyma'r patrwm wedi ei ysgrifennu'n llawn eto: *Here's the pattern written in full again:*	Efallai y byddwch chi'n gweld y ffurfiau hyn hefyd: *You may see these forms too:*
Ges i fy ngeni	Ces i fy ngeni
Gest ti dy eni	Cest ti dy eni
Gaeth e ei eni	Cafodd e ei eni
Gaeth hi ei geni	Cafodd hi ei geni
Gaethon ni ein geni	Cawson ni ein geni
Gaethoch chi eich geni	Cawsoch chi eich geni
Gaethon nhw eu geni	Cawson nhw eu geni

 Geirfa

Bydd eich tiwtor yn rhoi dwy funud i chi edrych dros dudalennau'r cwrs
hyd yn hyn. Ar bapur sgrap ysgrifennwch ddeg o eiriau sy'n codi, yn Saesneg.
Ar ôl dwy funud, bydd eich tiwtor yn casglu'r papur a'i roi i rywun arall.
Pa eiriau sy'n anodd eu cofio?

        Your tutor will give you two minutes to look over the pages of the course
        book up to now. On a piece of scrap paper, write in English ten words which
        have cropped up. After two minutes, your tutor will collect the paper and give
        it to someone else. Which words are difficult to remember?

Cwrs Sylfaen: Uned 12

Nod: Trafod y newyddion *Discussing the news*

1.

Gaeth dyn ei ladd	*A man was killed*
Gaeth dyn ei arestio	*A man was arrested*
Gaeth llanc ei ddal	*A youth was caught*
Gaeth lleidr ei ddal	*A thief was caught*
Gaeth car ei ddwyn	*A car was stolen*
Gaeth tŷ ei losgi	*A house was burnt*
Gaeth rhywun ei saethu	*Someone was shot*

Bydd eich tiwtor yn dweud wrthoch chi sut
i ymarfer y brawddegau yma mewn parau.
*Your tutor will tell you how to practise
these sentences in pairs.*

A:	Beth gaeth ei ddwyn?	*What was stolen?*
B:	Gaeth car ei ddwyn	*A car was stolen*
A:	Pwy gaeth ei ladd?	*Who was killed?*
B:	Gaeth dyn ei ladd	*A man was killed*

2.

Gaeth merch ei lladd ddoe	*A girl was killed yesterday*
Gaeth merch ei harestio ddoe	*A girl was arrested yesterday*
Gaeth gwraig ei dal neithiwr	*A woman was caught last night*
Gaeth gwraig ei hanafu neithiwr	*A woman was injured last night*
Gaeth ffatri ei chau heddiw	*A factory was closed today*
Gaeth gêm ei gohirio neithiwr	*A game was postponed last night*
Gaeth rhaglen ei dangos neithiwr	*A programme was shown last night*

A: Pwy gaeth ei anafu?   *Who was injured?*
B: Gaeth gwraig ei hanafu   *A woman was injured*

A: Beth gaeth ei gau?   *What was closed?*
B: Gaeth ffatri ei chau   *A factory was closed*

A: Pryd gaeth y ffatri ei chau?   *When was the factory closed?*
B: Gaeth y ffatri ei chau heddiw   *The factory was closed today*

3. Gaeth tri dyn eu lladd ym Mangor   *Three men were killed in Bangor*
Gaeth dynion eu harestio yn Abertawe   *Men were arrested in Swansea*
Gaeth lladron eu dal yn Wrecsam   *Thieves were caught in Wrexham*
Gaeth dwy wraig eu saethu yn Washington   *Two women were shot in Washington*

 Tasg - bwletin newyddion
Gwrandewch ar eich tiwtor yn darllen y bwletin newyddion a darllenwch y rhestr eiriau isod. Mae'r geiriau hyn yn codi yn y bwletin. Gyda'ch partner, ceisiwch ail-lunio'r eitemau gan ddefnyddio'r geiriau hyn fel sbardunau.

Listen to your tutor reading the news bulletin and read the word list below. These words crop up in the bulletin. With your partner, try to recreate the items, using these words as prompts.

1.	dau ddyn	gyrru	neithiwr
2.	ardal	ffenestri	hanner cant
3.	dwyn	stryd	llanc

Tasg - darllen
Darllenwch y bwletin newyddion hwn yn uchel gyda'ch partner.

Read this news bulletin aloud with your partner.

Dyma'r newyddion.

Gaeth **dyn** ei **ladd** gan **lori** ar yr **M4** y bore 'ma.

Gaeth **dau ddyn** eu harestio neithiwr am ddwyn ceir **yng Nghaerfyrddin**.

Gaeth ffatri ei chau **yn Wrecsam** ddoe.

Newyddion drwg i siopwyr. Gaeth pris **llaeth** ei godi ddoe.

Pêl-droed nesa. Gaeth y gêm rhwng **Bangor** a'r **Barri** ei gohirio.

Yn ola', gaeth corgi ei gnoi gan y Tywysog Philip neithiwr. Dwedodd e ei fod ar ben ei dennyn.

Nawr newidiwch y geiriau sydd mewn llythrennau trwm.

Now change the parts in bold print.

Gramadeg

Mae'r treigladau yma'n dibynnu ar genedl y gair,
ac ar a yw'r gair yn unigol neu luosog.

> *The mutations here depend on the gender of the word,*
> *and on whether the word is singular or plural.*

Geiriau gwrywaidd

Masculine words   Gaeth **dyn**   ei **l**add   (< **lladd** - treiglad meddal -
                                                        dyn *is a masculine word*)

Geiriau benywaidd

Feminine words   Gaeth **merch** ei **th**alu   (< **talu** - treiglad llaes - TCP -
                        Gaeth **merch** ei **h**anafu   **merch** *is a feminine word; also an* **h** *in*
                                                           front of verbs beginning with a vowel)

Geiriau lluosog

Plural words   Gaeth **y plant** eu clywed   (< **clywed** - dim treiglad, *but an* **h** *in*
                        Gaeth **y plant** eu **h**anafu   *front of verbs beginning with a vowel*)

Tasg - sbardun i siarad

Mewn grwpiau o dri, gofynnwch y cwestiynau yma i'ch gilydd.

> *In groups of three, ask each other these questions.*

Gaethoch chi eich arestio erioed?

Gaethoch chi eich anafu erioed?

Gaethoch chi eich stopio gan yr heddlu erioed?

Gaethoch chi eich cloi ma's o'r tŷ erioed?

Gaethoch chi eich dal gan gamera cyflymder erioed?

Geirfa

anafu	-	*to injure*
arestio	-	*to arrest*
bwletin	-	*bulletin*
camera cyflymder	-	*speed camera*
cau	-	*to shut*
cloi ma's	-	*to lock out*
cnoi	-	*to bite*
cymorth	-	*help*
cyrraedd	-	*to reach, to arrive*
chwilio	-	*to search*
dal	-	*to catch*
damwain (b)	-	*accident*
dathlu	-	*to celebrate*
digwydd	-	*to happen*
diweithdra	-	*unemployment*
dringo	-	*to climb*
dwyn	-	*to steal*
erioed	-	*ever*
ffatri (b)	-	*factory*
gohirio	-	*to postpone*
heddlu	-	*police*
lladd	-	*to kill*
llanc	-	*youth, teenager (male)*
lleidr (lladron)	-	*thief (thieves)*
llosgi	-	*to burn*
maer	-	*mayor*

miloedd o bunnoedd	-	*thousands of pounds*
newid	-	*to change*
newyddion	-	*news*
peryglus	-	*dangerous*
poeni	-	*to worry*
rhywun	-	*someone*
saethu	-	*to shoot*
sbardun	-	*spur, incentive*
sydyn	-	*quick*
tennyn	-	*tether, dog lead*
trafod	-	*to discuss*
trwm	-	*heavy*
tywysog	-	*prince*
yn ôl	-	*ago*
yn ola(f)	-	*finally*

**Ychwanegwch eirfa
sy'n berthnasol i chi:**
*Add vocabulary that's
relevant to you:*

Cwrs Sylfaen: Uned 13

Nod: Gofyn cymwynas a deall negeseuon ffôn
Asking a favour and understanding telephone messages

1. Ga i ddefnyddio'r ffôn?   *May I use the phone?*
Ga i fynd adre?   *May I go home?*
Ga i ofyn rhywbeth i chi?   *May I ask you something?*
Ga i weld y llun?   *May I see the picture?*

A: Cei, wrth gwrs   *Yes, you may, of course*
B: Na chei, dwyt ti ddim   *No, you may not go yet /*
     yn cael mynd eto   *No, you can't go yet*

2. Gawn ni'r papur, os gwelwch chi'n dda?   *May we have the paper, please?*
Gawn ni baned, os gwelwch chi'n dda?   *May we have a cuppa, please?*
Gawn ni air, os gwelwch chi'n dda?   *May we have a word, please?*
Gawn ni un i Bryn, os gwelwch chi'n dda?   *May we have one for Bryn, please?*

A: Cewch, a chroeso   *Yes, you're welcome*
B: Na chewch, mae'n flin gyda fi   *No, I'm sorry*

 Tasg - 'Battleships'

rhoi'r arian i'r siopwr	mynd ma's	gwrando ar y dyn	defnyddio'r ffôn
cau'r drws	dod i'r parti	gwerthu'r car	gorffen yn gynnar
gweithio yn y tŷ	edrych ar y rhaglen	gofyn cwestiwn i chi	mynd i'r dafarn
gweld y daflen	prynu peint i chi	talu am hwn	dweud rhywbeth

3.

Gaiff e fynd adre?	Caiff, wrth gwrs	*May he go home?*	*Yes, of course*
Gaiff hi fynd adre?	Caiff, wrth gwrs	*May she go home?*	*Yes, of course*
Gawn ni fynd adre?	Cewch, wrth gwrs	*May we go home?*	*Yes, of course*
Gân nhw fynd adre?	Cân, wrth gwrs	*May they go home?*	*Yes, of course*

A: Dw i'n meddwl bod John yn sâl.   *I think John's ill*
B: Gaiff e fynd adre?   *May he go home?*
A: Caiff, wrth gwrs.   *Yes, of course*

 Tasg - Ga i aros yn y balŵn?

Bydd rhaid i chi roi rheswm dros gael aros yn y balŵn. Bydd y tiwtor yn esbonio.

You will have to give a reason to be allowed to stay in the balloon. Your tutor will explain.

4.

Wnewch chi agor y ffenest?	*Will you open the window?*
Wnewch chi gau'r ffenest?	*Will you close the window?*
Wnewch chi olchi'r llestri?	*Will you wash the dishes?*
Wnewch chi basio'r halen?	*Will you pass the salt?*
Wnewch chi roi lifft i fi?	*Will you give me a lift?*
Wnewch chi ymddiheuro drosta i?	*Will you apologise for me?*
Wnei di baned o de i fi?	*Will you make me a cup of tea?*
Wnei di'r gwaith cartre i fi?	*Will you do the homework for me?*
Wnei di rywbeth i fi?	*Will you do something for me?*
Gwnaf, wrth gwrs	*Yes, of course*
Na wnaf, mae'n flin gyda fi	*No, I'm sorry*

Tasg

Trafodwch y lluniau gyda'ch partner. Pa gwestiwn sy'n perthyn i ba lun?

Discuss the pictures with your partner. Which question belongs to which picture?

Deialog

A: Ga i ddefnyddio'r ffôn?

B: Na chei. Dwyt ti ddim yn cael defnyddio'r ffôn.

A: Ga i agor y ffenest?

B: Na chei. Mae hi'n rhy oer.

A: Wnei di baned i fi 'te?

B: Na wnaf. Gwna fe dy hunan, y pwdryn.

A: Dwyt ti ddim yn cael siarad â fi fel 'na!

B: O, cau dy ben!

 ## Geirfa

cael mynd	-	*to be allowed to go*
cau dy ben!	-	*shut your face!*
defnyddio	-	*to use*
dy hunan	-	*yourself*
fel 'na	-	*like that*
gair	-	*word*
golchi'r llestri	-	*to wash the dishes*
gwna fe	-	*do it*
halen	-	*salt*
llun(iau)	-	*picture(s)*
pwdryn	-	*lazy lout*
rhywbeth	-	*something*
taflen(ni) (b)	-	*leaflet(s)*
ymddiheuro	-	*to apologize*
yn lle	-	*instead of*

**Ychwanegwch eirfa
sy'n berthnasol i chi:**
> *Add vocabulary that's
> relevant to you:*

_____

_____

Partner A ar dudalen 64

**Tasg -
neges ffôn**

Partner B
Darllenwch y neges hon
yn uchel i'ch partner.

" Prynhawn da, y bòs sy'n siarad.
Mae hi'n ddau o'r gloch. Mae Kevin yn
sâl - mae e newydd ffonio. Wnei di fynd
i Aberystwyth yn lle Kevin? Mae'r car yn
barod i ti. Diolch! "

Gwrandewch ar eich partner yn darllen y neges.
Llenwch y grid, wrth wrando ar y neges. Cewch
chi ofyn i'ch partner ddarllen y neges eto:
> *Listen to your partner reading the message. Fill
> in the grid, while listening to the message. You
> may ask your partner to read the message again:*

Wnei di ddarllen y neges eto, plîs?

Pwy sy'n ffonio	Amser	Problem	Ateb i'r broblem

Ar ôl gorffen, trafodwch
yr atebion gyda'ch partner.
> *After finishing, discuss the
> answers with your partner.*

Cwrs Sylfaen: Uned 13

Gramadeg

1. The pattern **Ga i ...?** (and the other phrases using **cael**, e.g. **Gawn ni...? Gaiff e/hi...?**) can mean different things, e.g. *May I have (a thing)?*, or *May I... (an action)?*

2. **Wnewch chi ...?** (or other phrases using **gwneud**, e.g. **Wnei di...? Wnaiff e/hi...?**) can also mean different things, e.g. *Will you do / make (a thing)?*, or *Will you... (an action)?*

3. Cofiwch y treiglad meddal gyda'r ddau ymadrodd:
Remember the treiglad meddal *with both phrases:*

Ga i **g**offi? Ga i **f**ynd? Wnewch chi **dd**weud rhywbeth?

4. Byddwch chi'n gweld **Gaf i?** weithiau mewn llyfrau a chyrsiau eraill. Fel arfer wrth siarad, mae **f** ar ddiwedd gair yn diflannu - does dim rhaid rhoi collnod i mewn i ddangos hyn.
You will see **Gaf i?** *sometimes in books and other courses. Usually when speaking, the* f *at the end of the word disappears - you don't have to insert an apostrophe to show this.*

Partner B ar dudalen 63

Tasg - neges ffôn

Partner A
Darllenwch y neges hon yn uchel i'ch partner.

> "Helo, John. Sam sy'n siarad. Mae hi'n hanner awr wedi saith. Dw i ddim yn gallu dod i'r cyfarfod yfory am dri o'r gloch. Wnei di ymddiheuro drosta i? Mae rhywun arall yn mynd i siarad am y project."

Gwrandewch ar eich partner yn darllen y neges. Llenwch y grid, wrth wrando ar y neges. Cewch chi ofyn i'ch partner ddarllen y neges eto:
Listen to your partner reading the message. Fill in the grid, while listening to the message. You may ask your partner to read the message again:

Wnei di ddarllen y neges eto, plîs?

Pwy sy'n ffonio	Amser	Problem	Ateb i'r broblem

Ar ôl gorffen, trafodwch yr atebion gyda'ch partner.
After finishing, discuss the answers with your partner.

Cwrs Sylfaen: Uned 14

Nod: Pwysleisio *Emphasising*

1.

Siân sy 'ma	*Sian here*
Bryn sy 'ma	*Bryn here*
Fi sy'n siarad	*It's me speaking*
Dy frawd di sy'n siarad	*It's your brother speaking*
Helo, pwy sy 'na?	*Hello, who's there?*
Pwy sy'n siarad, os gwelwch chi'n dda?	*Who's speaking please?*
Ga i'ch helpu chi, os gwelwch chi'n dda?	*May I help you, please?*
Does dim ateb ar hyn o bryd,	*There's no answer at the moment,*
dych chi eisiau gadael neges?	*do you want to leave a message?*
Un eiliad, os gwelwch chi'n dda.	*One second, please.*

Tasg - creu deialog o sefyllfa

Gyda'ch partner, meddyliwch am ddeialog fer yn codi o'r sefyllfaoedd hyn:
With your partner, think of a short exchange arising from these situations:

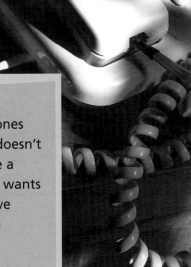

1.
Elin phones the office, and wants to leave a message for John.

2.
Siân's mother phones the school to talk to the head teacher, to say that Siân is ill, and asks the head to tell the class teacher.

3.
Someone phones Bedwyr, but doesn't want to leave a name; he/she wants Bedwyr to give someone else a message.

2.

Mae Tom Jones yn canu Delilah	*Tom Jones sings Delilah*
Tom Jones sy'n canu Delilah	*It's **Tom Jones** who sings Delilah*
Pwy sy'n canu Delilah?	*Who sings Delilah?*
Fi sy'n gyrru heddiw	*It's me who's driving today*
Ti sy'n nabod y bobl	*It's you who knows the people*
Bryn sy'n deall y broblem	*It's Bryn who understands the problem*
Siân sy'n talu am y bwyd	*It's Siân who's paying for the food*
Fi oedd yn gyfrifol	*It's me who was responsible*
Ti fydd yn talu y tro nesa	*It's you who will pay next time*
Bryn oedd yn mynd i wneud hyn	*It was Bryn who was going to do this*
Siân fydd yn dod i'r cyfarfod	*It's Siân who will come to the meeting*

A: Pwy sy'n **canu Delilah**?

B: **Pavarotti** sy'n **canu Delilah**

A: Nage, **Tom Jones** sy'n canu **Delilah**!

B: Ie, ti sy'n iawn

Tasg - Cwis 'sy'

Trafodwch yr atebion i'r cwestiynau hyn gyda'ch partner.

Pwy sy'n canu 'Nessun Dorma'?

Pwy sy'n byw yn rhif 10 Stryd Downing?

Pwy sy'n briod â Posh Spice?

Pwy sy'n rhedeg cwmni Virgin?

Pwy oedd yn actio yn *Gone with the Wind*?

Pwy oedd yn darllen *News at Ten*?

Pwy fydd yn chwarae Cymru nesa?

Pwy fydd yn dysgu'r dosbarth y flwyddyn nesa?

Meddyliwch am dri chwestiwn arall i'w gofyn i'r dosbarth,
yn dechrau â **Pwy sy'n...**, **Pwy oedd yn...** neu **Pwy fydd yn...**

Think of three other questions to ask the class, starting with **Pwy sy'n...**,
Pwy oedd yn..., *or* **Pwy fydd yn...**

Pwy _____

Pwy _____

Pwy _____

3.

Dim ond un sy gyda fi	*I only have one*
Dim ond punt sy gyda fi	*I only have a pound*
Dim ond munud sy gyda fi	*I only have a minute*
Dim ond un cwestiwn sy gyda fi	*I only have one question*

A: Mae **peint o lager** gyda fi   *I've got a pint of lager*

B: Dim ond **coffi** sy gyda fi!   *I've only got a coffee!*

Tasg - Dim ond...

Mewn parau, meddyliwch am ymatebion i'r brawddegau hyn:

In pairs, think of responses to these sentences:

A: Mae Ferrari gyda fi   **B:** _____

A: Mae Harley Davison gyda fi   **B:** _____

A: Mae Ferrero Rocher gyda fi   **B:** _____

A: Mae tŷ mawr iawn gyda fi   **B:** _____

A: Mae dwy awr gyda fi   **B:** _____

A: Mae pump o blant gyda fi   **B:** _____

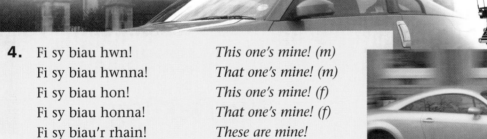

4.

Fi sy biau hwn!	*This one's mine! (m)*
Fi sy biau hwnna!	*That one's mine! (m)*
Fi sy biau hon!	*This one's mine! (f)*
Fi sy biau honna!	*That one's mine! (f)*
Fi sy biau'r rhain!	*These are mine!*
Fi sy biau'r rheina!	*Those are mine!*
John sy biau hwn?	*Is this John's?*
Siân sy biau hwnna?	*Is that Siân's?*
Ie / Nage	*Yes / No*
Pwy sy biau'r llyfr 'ma?	*Whose is this book?*
Ti sy biau hwn?	*Is this yours?*
Pwy sy biau'r got 'ma?	*Whose is this coat?*
Ti sy biau hon?	*Is this yours?*

Tasg - Pwy sy biau...

Penderfynwch pwy sy biau beth drwy dynnu llinell rhyngddyn nhw.
Wedyn, trafodwch â'ch partner.

Decide who owns what by drawing a line between them. Then discuss with your partner.

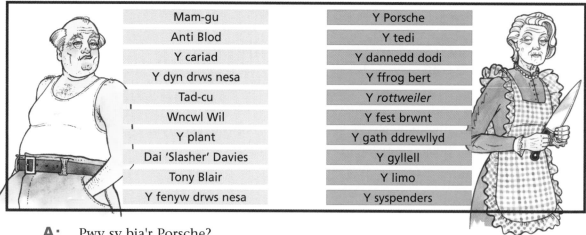

Mam-gu	Y Porsche
Anti Blod	Y tedi
Y cariad	Y dannedd dodi
Y dyn drws nesa	Y ffrog bert
Tad-cu	Y *rottweiler*
Wncwl Wil	Y fest brwnt
Y plant	Y gath ddrewllyd
Dai 'Slasher' Davies	Y gyllell
Tony Blair	Y limo
Y fenyw drws nesa	Y syspenders

A: Pwy sy bia'r Porsche?

B: O, Wncwl Wil sy bia'r Porsche, siŵr o fod.

A: Nage, dw i ddim yn credu. Anti Beti sy biau fe.

B: Ie wir? Anti Beti sy biau'r Porsche? Jiw, jiw!

5. Dw i'n nabod rhywun sy'n byw ym Mangor — *I know someone who lives in Bangor*
Dw i'n nabod rhywun sy'n gweithio yn Tesco — *I know someone who works in Tesco*
Dw i'n nabod rhywun sy'n dod o Dregaron — *I know someone who comes from Tregaron*
Dw i'n nabod rhywun sy'n nabod Anthony Hopkins — *I know someone who knows Anthony Hopkins*

 Tasg - Un yn well

A: Dw i'n nabod rhywun sy'n gweithio yn Tesco.

B: Dyw hynny'n ddim byd. Dw i'n nabod rhywun sy'n gweithio yn Harrods.

Trafodwch â'ch partner, gan geisio cael y gorau bob tro!

Discuss with your partner, and try to get the upper hand each time!

 # Deialog

A: Helo. Fi sy 'ma eto.

B: Helo Siân.

A: Pwy sy biau'r Porsche newydd sbon?

B: Bryn sy biau hwnna.

A: Bryn sy biau fe?

B: Ie. Enillodd e'r peth mewn raffl.

A: Pwy sy'n mynd ma's gyda fe y dyddiau 'ma?

B: Fi.

Ymarfer gyda'ch partner, yna newidiwch y manylion.
Practise with your partner, then change the details.

Gramadeg

1. **Fi sy 'ma** (literally *Me who is here* - i.e. *It's me*).
   Fi sy biau hwnna (literally, *Me who owns that*, i.e. *That's mine*).
   Pwy? = *who*, as a question - **Pwy** sy'n siarad? (literally - ***Who*** [is it] who is speaking?

2. **sy(dd)** = *who is/are; which is/are* (not a question) e.g.
   Dw i'n nabod rhywun **sy'n** byw yn y dre. *I know somone **who** lives in town.*
   This isn't used for particular emphasis. Remember 'pwy' is not used here.

3. *this* - if the object is named = **y ...'ma**, e.g. y car 'ma (lit. *the car here*).
   that - if the object is named = **y ...'na**, e.g. y car 'na (lit. *the car there*).
   If the object is not named then:
   hwn / hon - *this (one)*
   hwnna / honna - *that (one)*
   If in doubt as to whether an object is masculine or feminine, use **hwn / hwnna**.

4. **dim ond** = *only* - is usually followed by an emphatic sentence,
   i.e. the word order is changed to put the subject first, e.g.
   Mae punt gyda fi - *There is a pound with me / I have a pound* – normal word order.
   Dim ond punt **sy** gyda fi - *Only a pound which is with me / I only have a pound* – emphasis.
   The word order is changed and **sy** is used instead of **mae**.
   Mae Bryn yn siarad - *Bryn is speaking* - normal word order.
   Bryn sy'n siarad - *(It's) Bryn who is speaking* – emphasis.

5. **Ie** and **Nage** answers are used for emphatic sentences like the following -
   Ti sy biau hwnna?   Ie / Nage
   Bryn sy'n siarad?   Ie / Nage

6. Negative:
   Dyw Bryn ddim yn siarad - *Bryn isn't speaking* - no emphasis
   Dim Bryn sy'n siarad - *(It's) not Bryn who is speaking* - emphasis

 # Geirfa

cyfrifol	-	*responsible*
cyllell (cyllyll) (b)	-	*knife (knives)*
dannedd dodi	-	*false teeth*
drewllyd	-	*smelly*
eiliad(au) (f)	-	*second(s)*
neges(euon) (f)	-	*message(s)*
newydd sbon	-	*brand new*
wir	-	*really*

Ychwanegwch eirfa sy'n berthnasol i chi:
   Add vocabulary that's relevant to you:

_____

_____

_____

Cwrs Sylfaen: Uned 15

Nod: Adolygu ac ymestyn *Revision and extension*

1. Ges i fy ngeni yn Abertawe — *I was born in Swansea*
Ges i fy ngeni ym mil naw pump dau — *I was born in 1952*
Gaeth e ei eni yn Aberystwyth — *He was born in Aberystwyth*
Gaeth hi ei geni ym Mangor — *She was born in Bangor*

Ble gest ti dy eni? — *Where were you born?*
Pryd gest ti dy eni? — *When were you born?*

Tasg - cyfnewid cardiau

Cerwch o gwmpas y dosbarth yn holi ac ateb y cwestiynau y bydd eich tiwtor wedi eu hymarfer gyda chi, ac yna cyfnewid y cardiau.
Go around the class asking and answering the questions your tutor has prepared with you, and exchanging the cards.

2. Gaeth y dyn ei ladd ddoe — *The man was killed yesterday*
Gaeth car ei ddwyn neithiwr — *A car was stolen last night*
Gaeth llanc ei arestio gan yr heddlu — *A youth was arrested by the police*

Gaeth merch ei lladd gan lori — *A girl was killed by a lorry*
Gaeth gwraig ei harestio ddoe — *A woman was arrested yesterday*
Gaeth ffatri ei chau yn Llantrisant — *A factory was closed in Llantrisant*

Tasg - ffurfio brawddegau

Gofynnwch gwestiynau i'ch partner gan ddefnyddio'r grid isod, e.e.

Ask your partner questions using the grid below, e.g.

Beth ddigwyddodd i'r dyn?	*What happened to the man?*
Pwy gaeth ei ladd?	*Who was killed?*
Sut gaeth y dyn ei ladd?	*How was the man killed?*
Pryd gaeth y dyn ei ladd?	*When was the man killed?*
Ble gaeth y dyn ei ladd?	*Where was the man killed?*

Pwy / Beth	Beth	Gan	Pryd	Ble
dyn	lladd	lori	neithiwr	ar yr M4
merch	arestio	yr heddlu	y bore 'ma	yn ei chartre
tri llanc	dal	camera CCTV	ddoe	mewn siop
Elen	anafu	car	dydd Sadwrn	wrth siop Spar
y tŷ	prynu	Americanwr	echdoe	ar y we
ffatri	agor	y maer	heddiw	ar y stad ddiwydiannol
car	dwyn	lladron	nos Lun diwetha	o flaen y tŷ

3.

Ga i ofyn cwestiwn?	*May I ask a question?*
Ga i ddweud rhywbeth?	*May I say something?*
Ga i weld y daflen?	*May I see the worksheet?*
Ga i fynd yn gynnar?	*May I go early?*
Ga i ddod i'r parti?	*May I come to the party?*

Newidiwch y dechrau i ymarfer:

Change the beginning to practise:

Gawn ni...?	*May we...?*
Gaiff e...?	*May he...?*
Gaiff hi....?	*May she...?*
Gân nhw...?	*May they... ?*

Wnewch chi ddod i'r parti?   *Will you come to the party?*

Wnewch chi wrando arna i?   *Will you listen to me?*

Wnewch chi roi arian i fi?   *Will you give me money?*

Wnewch chi roi lifft i fi?   *Will you give me a lift?*

Newidiwch y dechrau i ymarfer:

    Change the beginning to practise:

Wnei di...?   *Will you...?*

Gêm - Ga i ...? / Wnewch chi ...?

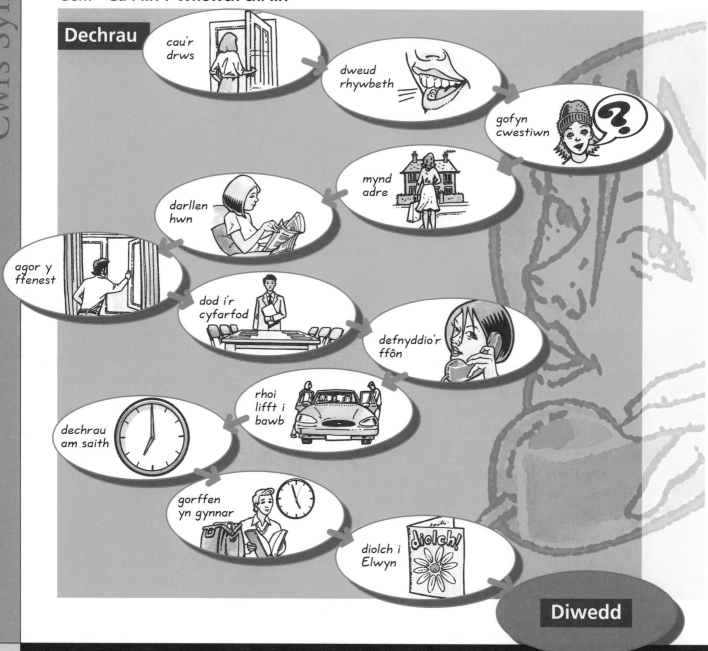

4.

Fi sy'n iawn	It's me who's right
Fi sy'n gyfrifol	It's me who's responsible
Fi sy'n talu am y bwyd	It's me who's paying for the food
Fi sy'n gwneud y gwaith i gyd	It's me who does all the work

Pwy sy'n gyfrifol?	Who's responsible?
Pwy sy'n talu am y bwyd?	Who's paying for the food?

Ti fydd yn gwneud hyn yfory	It's you who will be doing this tomorrow
Ti fydd yn gyfrifol y tro nesa	It's you who will be responsible next time
Ti oedd yn iawn	It's you who was right
Ti oedd yn deall y broblem	It's you who understood the problem

Fi sy biau hwn!	This is mine!
Ti sy biau hwnna!	That's yours!
Fe sy biau hon!	This is his!
Hi sy biau honna!	That's hers!

Pwy sy biau hwn?	Whose is this? (m)
Pwy sy biau hon?	Whose is this? (f)

Dw i'n nabod rhywun sy'n gweithio 'na	I know someone who works there
Dw i'n nabod rhywun sy'n byw 'na	I know someone who lives there
Dw i'n nabod rhywun sy'n dod o'r dre	I know someone who comes from the town

 **Tasg - holiadur**

Rhaid i chi ffeindio:

1. Person sy'n hoffi pysgota.
2. Person sy wedi bod yn Efrog Newydd.
3. Person oedd yn arfer edrych ar *Thunderbirds*.
4. Person fydd yn darllen *The Times* y penwythnos nesa.
5. Person sy'n gallu dawnsio.

Bydd eich tiwtor yn eich holi ar ôl i chi fynd o gwmpas y dosbarth.

Your tutor will ask questions after you have gone round the class.

Tasg gwrando

Gwrandewch ar y bwletin newyddion. Bydd eich tiwtor yn chwarae'r bwletin dair gwaith. Atebwch y cwestiynau yma wrth wrando.

Listen to the news bulletin. Your tutor will play the bulletin three times.
Answer these questions while listening.

1. Ble gaeth y merched eu hanafu? _____
2. Pam gaeth y dyn ei arestio? _____
3. Beth gaeth ei agor ddoe? _____
4. Newyddion drwg i bwy? _____
5. Pam gaeth y gêm ei gohirio? _____
6. Faint gaeth y ffermwr am y ci? _____
7. Sut bydd y tywydd yfory? _____
8. Pryd bydd y bwletin nesa? _____

Geirfa

ci defaid	-	*sheepdog*
cyfnewid	-	*to exchange*
Efrog Newydd	-	*New York*
Maer	-	*mayor*
penwythnos	-	weekend
stad ddiwydiannol (b)	-	*industrial estate*

Ychwanegwch eirfa sy'n berthnasol i chi:
Add vocabulary that's relevant to you:

_____

_____

_____

Gramadeg

cael a gwneud

Hyd yma dyn ni wedi canolbwyntio ar y cwestiynau - Ga i?, Wnei di?, ac ati. Yn aml, mae pobl yn treiglo gosodiadau hefyd, ond byddwch hefyd yn gweld ac yn clywed y ffurfiau yma mewn cyd-destun mwy ffurfiol:

We have so far mostly seen the question forms – Ga i?, Wnei di?, etc
Very often the statement forms are also mutated, but you will also see
and hear these in more formal contexts:

cael		gwneud	
Ca i *or* Caf i	Cawn ni	Gwna i *or* Gwnaf i	Gwnawn ni
Cei di	Cewch chi	Gwnei di	Gwnei di
Caiff e/hi	Cân nhw	Gwnaiff e/hi	Gwnân nhw

So Cei di lifft *or* Gei di lifft *are both possible for 'You can/may have a lift.'*
And Gwnaiff John y llestri, *or* Wnaiff John y llestri – *John will do the dishes.*

Cwestiynau ac Atebion

Ga i fynd?	*May I go?*	Cei	*Yes, you may*
Gei di fynd?	*May you go?*	Caf	*Yes, I may*
Gaiff e/hi fynd?	*May he/she go?*	Caiff	*Yes, he/she may*
Gawn ni fynd?	*May we go?*	Cewch	*Yes, you may*
Gewch chi fynd?	*May you go?*	Cawn	*Yes, we may*
Gân nhw fynd?	*May they go?*	Cân	*Yes, they may*

Wna i fynd?	*Will I go?*	Gwnei	*Yes, you will*
Wnei di fynd?	*Will you go?*	Gwnaf	*Yes, I will*
Wnaiff e/hi fynd?	*Will he/she go?*	Gwnaiff	*Yes, he/she will*
Wnawn ni fynd?	*Will we go?*	Gwnewch	*Yes, you will*
Wnewch chi fynd?	*Will you go?*	Gwnawn	*Yes, we will*
Wnân nhw fynd?	*Will they go?*	Gwnân	*Yes, they will*

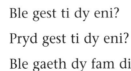 ## Tasg - 'Mastermind'

Ble gest ti dy eni?

Pryd gest ti dy eni?

Ble gaeth dy fam di ei geni?

Ble gaeth dy dad di ei eni?

Beth wyt ti'n feddwl o Homer Simpson?

Ble o't ti'n byw ym 1979?

Gaethoch chi eich arestio erioed? Pam?

Dych chi'n nabod rhywun sy'n byw dramor? Pwy?

Beth yw dy hoff fwyd di?

Pwy yw dy hoff ganwr neu gantores di?

Rhestr gyfair *Check list*

✔ Ticiwch beth dych chi'n gallu wneud. *Tick what you can do.*

☐ Dw i'n gallu dweud ble a phryd ges i fy ngeni
I can say where and when I was born

☐ Dw i'n gallu holi rhywun arall ble a phryd gaeth e ei eni/gaeth hi ei geni
I can ask someone else where and when he/she was born

☐ Dw i'n gallu dweud ble a phryd gaeth rhywun arall ei eni a ble gaeth e ei fagu/gaeth hi ei magu
I can say where and when someone else was born and where he/she was brought up

☐ Dw i'n gallu dweud beth ddigwyddodd i rywun arall (e.e. Gaeth e ei anafu)
I can say what happened to someone else (e.g. Gaeth e ei anafu)

☐ Dw i'n gallu gofyn beth ddigwyddodd i rywun arall
I can ask what happened to someone else

☐ Dw i'n gallu trafod y newyddion yn syml
I can discuss the news simply

☐ Dw i'n gallu gofyn i rywun am rywbeth
I can ask someone for something

☐ Dw i'n gallu gofyn am ganiatâd i wneud rhywbeth
I can ask for permission to do something

☐ Dw i'n gallu gofyn gaiff rhywun arall rywbeth neu wneud rhywbeth
I can ask whether someone else may have or do something

☐ Dw i'n gallu gofyn i rywun wneud rhywbeth
I can ask someone to do something

☐ Dw i'n gallu pwysleisio pwy sy'n gwneud rhywbeth neu pwy sy yn rhywle
I can emphasize who is doing something or who is somewhere

☐ Dw i'n gallu pwysleisio pwy oedd yn gwneud rhywbeth neu pwy oedd yn rhywle
I can emphasize who was doing something or who was somewhere

☐ Dw i'n gallu pwysleisio pwy fydd yn gwneud rhywbeth neu pwy fydd yn rhywle
I can emphasize who will be doing something or who will be somewhere

☐ Dw i'n gallu dweud mai dim ond un o rywbeth sy gyda fi
I can say I only have one of something

☐ Dw i'n gallu dweud pwy sy biau rhywbeth
I can say who owns something

☐ Dw i'n gallu gofyn pwy sy biau rhywbeth
I can ask who owns something

Geirfa Graidd - unedau 11–15

anafu	- *to injure*	drewllyd	- *smelly*
arestio	- *to arrest*	dringo	- *to climb*
bwletin	- *bulletin*	dwyn	- *to steal*
bwrw	- *to strike,*	dy hunan	- *yourself*
	to collide with	Efrog Newydd	- *New York*
byd	- *world*	eiliad(au) (f)	- *second(s)*
cael mynd	- *to be allowed to go*	erioed	- *ever*
camera cyflymder	- *speed camera*	Eryri	- *Snowdonia*
cau dy ben!	- *shut your face!*	fel 'na	- *like that*
cau	- *to shut*	ffatri (ffatrïoedd) (b)	- *factory (factories)*
ci defaid	- *sheepdog*	gair (geiriau)	- *word(s)*
cloi ma's	- *to lock out*	geni	- *to be born*
cnoi	- *to bite*	gohirio	- *to postpone*
cyfnewid	- *to exchange*	golchi'r llestri	- *to wash the dishes*
cyfrifol	- *responsible*	gwna fe	- *do it*
cyllell (cyllyll) (b)	- *knife (knives)*	halen	- *salt*
cymorth	- *help*	heddlu	- *police*
cyrraedd	- *to reach, to arrive*	jiw!	- *good heavens!*
chwilio	- *to search*		*from 'Duw' – God)*
dal	- *to catch*	lladd	- *to kill*
damwain		llanc	- *youth, teenager*
(damweiniau) (b)	- *accident(s)*		*(male)*
dannedd dodi	- *false teeth*	lleidr (lladron)	- *thief (thieves)*
dathlu	- *to celebrate*	llosgi	- *to burn*
defnyddio	- *to use*	llun(iau)	- *picture(s)*
digwydd	- *to happen*	maer	- *mayor*
dihuno	- *to wake up*	maes	- *field*
diweithdra	- *unemployment*	magu	- *to bring up, to raise*

miloedd o bunnoedd	-	*thousands of pounds*
mynydd(oedd)	-	*mountain(s)*
neges(euon) (f)	-	*message(s)*
newid	-	*to change*
newydd sbon	-	*brand new*
newyddion	-	*news*
penwythnos	-	*weekend*
peryglus	-	*dangerous*
poeni	-	*to worry*
pumdegau	-	*fifties*
pwdryn	-	*lazy lout*
rhywbeth	-	*something*
rhywun	-	*someone*
saethu	-	*to shoot*
sbardun	-	*spur, incentive*
stad ddiwydiannol (b)	-	*industrial estate*
sydyn	-	*quick*
taflen(ni) (b)	-	*leaflet(s), worksheet(s)*
tennyn	-	*tether, dog lead*
trafod	-	*to discuss*
trasiedi (b)	-	*tragedy*
trwm	-	*heavy*
tywysog	-	*prince*
wir	-	*really*
ymddiheuro	-	*to apologize*
yn lle	-	*instead of*
yn ôl	-	*ago*
yn ola(f)	-	*finally*
yr un ... â	-	*the same ... as*

Cwrs Sylfaen: Uned 16

Nod: Gwneud cynlluniau *Making plans*

1.

Bydda i 'na heno	*I'll be there tonight*
Bydda i yn y gwaith yfory	*I'll be in work tomorrow*
Bydda i yn y dosbarth nos Lun	*I'll be in class on Monday night*
Bydda i mewn wythnos nesa	*I'll be in next week*
Fyddi di 'na heno?	*Will you be there tonight?*
Fyddi di yn y gwaith yfory?	*Will you be in work tomorrow?*
Fyddwch chi yn y dosbarth nos Lun?	*Will you be in class on Monday night?*
Fyddwch chi mewn wythnos nesa?	*Will you be in next week?*
Bydda, yn bendant	*Yes, definitely*
Na fydda, fydda i ddim	*No, I won't*
Falle, os bydd hi'n braf	*Perhaps, if it's fine*
Gobeithio, os bydd amser gyda fi	*(I) hope, if I have time*

Tasg - dyfalu ble bydd eich partner

Nodwch ble byddwch chi bob dydd yr wythnos nesa yn eich colofn chi. Yna, rhaid dyfalu ble bydd eich partner. Rhaid dewis allan o'r rhestr hon:

Note where you will be next week in your column. Then, you must guess where your partner will be. You must choose from this list:

		Chi	Eich partner
yn y tŷ	Dydd Llun		
yn y gwaith	Dydd Mawrth		
yn y dosbarth	Dydd Mercher		
ar fy ngwyliau	Dydd Iau		
yn y cyngerdd	Dydd Gwener		
ar y traeth	Dydd Sadwrn		
yn y dafarn	Dydd Sul		

Cwrs Sylfaen: Uned 16

2.

Byddwn ni'n mynd i Corfu	*We will be going to Corfu*
Byddwn ni'n mynd ym mis Mehefin	*We will be going in June*
Byddwn ni'n hedfan	*We will be flying*
Byddwn ni'n gorwedd ar y traeth	*We will be lying on the beach*

Ble byddwch chi'n mynd?	*Where will you be going?*
Pryd byddwch chi'n mynd?	*When will you be going?*
Sut byddwch chi'n mynd?	*How will you be going?*
Beth fyddwch chi'n wneud?	*What will you be doing?*

Bydd e yn y dosbarth	*He'll be in class*
Bydd hi yn y gwaith	*She'll be in work*
Bydd e'n mynd i'r dosbarth	*He'll be going to class*
Bydd hi'n dod o'r gwaith	*She'll be coming from work*

| Ble bydd John nos Fawrth? | *Where will John be on Tuesday night?* |
| Beth fydd Siân yn wneud nos Sul? | *What will Siân be doing on Sunday night?* |

Tasg - pwy fydd yn gwneud yr un peth â chi?

Eto, nodwch yn y golofn 'chi' ble byddwch chi yn y nos yr wythnos nesa neu beth fyddwch chi'n wneud. Dewiswch o'r rhestr hon. Yna, ewch o gwmpas y dosbarth yn chwilio am rywun arall fydd yn gwneud yr un peth â chi yr un noson.

Again, write where you will be or what you will be doing next week in the column under 'chi'. Choose from this list. Then, go round the class looking for someone else who will be doing the same as you on the same night.

edrych ar y gêm

peintio'r gegin

glanhau'r tŷ

adolygu

gweithio

siopa yn Tesco

mynd â'r ci am dro

mewn cyfarfod

yn y parc gyda'r plant

yn y dosbarth Jiwdo

	Chi	Eich partner
Dydd Llun		
Dydd Mawrth		
Dydd Mercher		
Dydd Iau		
Dydd Gwener		
Dydd Sadwrn		
Dydd Sul		

Yna, bydd eich tiwtor yn gofyn i chi ddweud pwy fydd yn gwneud yr un peth â chi *(the same thing as you)*.

Tasg - cwestiynau

Bydd eich tiwtor yn rhoi llawer o gwestiynau i chi i'w gofyn i'ch gilydd
(to ask each other).

3.

Fydda i byth yn rhugl	*I'll never be fluent*
Fydda i byth yn enwog	*I'll never be famous*
Fydda i byth yn gyfoethog	*I'll never be rich*
Fydda i byth yn denau	*I'll never be thin*
Wrth gwrs byddi di!	*Of course you will!*
Byddan nhw'n iawn	*They'll be fine*
Byddan nhw'n barod	*They'll be ready*
Beth os na fyddan nhw'n iawn?	*What if they won't be fine?*
	(i.e. What if they're not fine?)
Beth os na fydda i'n barod?	*What if I won't be ready?*
	(i.e. What if I'm not ready?)

 # Deialog

A: Fyddi di yn y cyfarfod nos Sadwrn?

B: Bydda, siŵr o fod.

A: Fyddi di 'na yn bendant?

B: Dw i newydd ddweud y bydda i 'na.

A: Beth os na fydd neb arall yn dod?

B: Bydd pawb 'na. Paid poeni.

A: Beth os bydda i'n hwyr?

B: Fyddi dim yn hwyr. Paid poeni!

Geirfa

adolygu	-	*to revise*
byth	-	*never*
cyngerdd		
(cyngherddau) (b/g)	-	*concert(s)*
gorwedd	-	*to lie (down)*
rhugl	-	*fluent*
yn bendant	-	*definitely*

**Ychwanegwch eirfa
sy'n berthnasol i chi:**
*Add vocabulary that's
relevant to you:*

_____

_____

_____

_____

Gramadeg

Dyma'r tabl ar gyfer y dyfodol gyda **bod**:
*Here's the table for the future of **bod**:*

Bydda i	Fydda i?	Fydda i ddim
Byddi di	Fyddi di?	Fyddi di ddim
Bydd e/hi	Fydd e/hi?	Fydd e/hi ddim
Byddwn ni	Fyddwn ni?	Fyddwn ni ddim
Byddwch chi	Fyddwch chi?	Fyddwch chi ddim
Byddan nhw	Fyddan nhw?	Fyddan nhw ddim

I ddweud **ble** byddwch chi, e.e. **Bydda i ar y traeth**,
Byddwn ni yn y cyfarfod, dych chi ddim yn defnyddio 'n.
*To say **where** you will be, e.g. **Bydda i ar y traeth**,
Byddwn ni yn y cyfarfod, you don't use 'n.*

Tasg - siarad

Mewn grwpiau o dri, siaradwch yn eich tro am
eich gwyliau chi - yn y gorffennol neu'r dyfodol.
Rhaid i chi siarad am ddwy funud heb stopio!

*In groups of three, take it
in turns to talk about your
holidays - in the past or
the future. You will have
to speak for two minutes
without stopping!*

Cwrs Sylfaen: Uned 17

Nod: Trafod y dyfodol *Discussing the future*

1.

Gwna i'r te, os gwnei di'r swper	*I'll make tea, if you make supper*
Gwna i'r llestri, os gwnei di'r glanhau	*I'll do the dishes, if you do the cleaning*
Gwna i'r peintio, os gwnei di'r papuro	*I'll do the painting, if you do the papering*
Gwna i'r ffurflenni, os gwnei di'r llungopïau	*I'll do the forms, if you do the photocopies*
Gwna i'r gwaith cartre, os gwnei di bopeth arall	*I'll do the homework, if you do everything else*

A:	Gwna i'r te os gwnei di'r swper	*I'll make tea if you make supper*
B:	Iawn, gwna i'r swper	*OK, I'll make supper*
B:	Na wna, alla i ddim!	*No, I can't!*

Tasg - bargeinio â'ch partner

Bargeiniwch â'ch partner i benderfynu pwy sy'n mynd i wneud beth allan o'r rhestr hon:
Bargain with your partner to decide who's going to do what out of this list:

y swper

y te

y brecwast

y gwaith cartre

y glanhau

y llestri

y peintio

y papuro

y coginio

y smwddio

Chi	Eich partner

2.

Coda i'n gynnar	*I'll get up early*
Ffonia i yn y bore	*I'll phone in the morning*
Dala i'r bws am saith	*I'll catch the bus at seven*
Cyrhaedda i am wyth	*I'll arrive at eight*
Coda i'r plant nes ymlaen	*I'll pick up the children later on*
Anghofia i ddim	*I won't forget*
Beth wnewch chi yfory?	*What will you do tomorrow?*
Beth wnei di yfory?	*What will you do tomorrow?*

Tasg - gwaith pâr A　　**B - tudalen 86**

Beth wnei di am...?

		Chi	Eich partner
7.00		Codi	
7.15		Ymolchi	
7.30		Bwyta tost	
8.00		Edrych ar y newyddion	
8.30		Gyrru i'r gwaith	
9.00		Cyrraedd y swyddfa	
9.20		Gwneud paned i'r bòs	
10.00		Ffonio rhywun	
12.30		Bwyta cinio	

3.

Talwn ni yfory	*We'll pay tomorrow*
Galwn ni heibio nes ymlaen	*We'll call by later on*
Cyrhaeddwn ni am un ar ddeg	*We'll arrive at eleven o'clock*
Gwelwn ni bawb am ddeg	*We'll see everyone at ten*
Ffoniwn ni am ddeuddeg	*We'll telephone at twelve*
Pryd talwch chi?	*When will you pay?*
Pryd galwch chi?	*When will you call?*
Pryd cyrhaeddwch chi?	*When will you arrive?*
Pryd gwelwch chi bawb?	*When will you see everyone?*
Pryd ffoniwch chi?	*When will you telephone?*
Welwch chi ddim byd	*You won't see anything*
Phrynwch chi ddim byd	*You won't buy anything*
Ddysgwch chi ddim byd	*You won't learn anything*
Chysgwch chi ddim	*You won't sleep*

Tasg - cysylltu brawddegau

Gyda'ch partner, cysylltwch y brawddegau
yn y golofn gynta â'r brawddegau priodol
yn yr ail golofn.

*With your partner, connect the sentences
in the first column with the appropriate
sentences in the second column.*

Dyn ni'n mynd ar ddeiet	Thalwch chi ddim
Dyn ni'n mynd i brynu gwin	Wnewch chi brynu bisgedi i fi?
Dyn ni'n mynd i'r dosbarth heno	Welwch chi ddim byd blasus
Dyn ni'n mynd i gael y bil	Enillwch chi ddim
Dyn ni'n mynd i Tesco yfory	Fwytwch chi ddim byd blasus
Dyn ni'n mynd i brynu tocyn raffl	Chollwch chi ddim pwysau
Dyn ni'n mynd i'r gwely nawr	Welwch chi ddim byd. Dych chi'n rhy fyr
Dyn ni'n mynd i'r caffi nes ymlaen	Chysgwch chi ddim
Dyn ni'n mynd i siopa y bore 'ma	Ddysgwch chi ddim byd diddorol
Dyn ni'n mynd i weld y gêm	Phrynwch chi ddim byd neis

4.

Codiff e am saith	*He'll get up at seven*
Bwytiff hi frecwast am wyth	*She'll eat breakfast at eight*
Darlleniff e'r papur am naw	*He'll read the paper at nine*
Cyrhaeddiff hi'r dosbarth am ddeg	*She'll arrive at the class at ten*
Gweliff e'r tiwtor am un	*He'll see the tutor at one*
Edrychiff hi ar y teledu heno	*She'll watch television tonight*
Cysgiff e tan saith y bore	*He'll sleep until seven in the morning*
Beth wnaiff e heno?	*What will he do tonight?*
Beth wnaiff hi yfory?	*What will she do tomorrow?*

Tasg - siarad am eich partner

Gyda phartner newydd, siaradwch am beth wnaiff eich partner blaenorol
ar yr amserau gwahanol yn y dasg gwaith pâr ar dudalennau 84 ac 86.

*With a new partner, talk about what your previous partner will do
at the different times in the* gwaith pâr *task on pages 84 and 86.*

5.

Ffonian nhw heno	*They'll telephone tonight*
Gwnân nhw'r gwaith heno	*They'll do the work tonight*
Rhoian nhw lifft i ni heno	*They'll give us a lift tonight*
Anfonan nhw bopeth aton ni heno	*They'll send us everything tonight*
Dwedan nhw wrthon ni heno	*They'll tell us tonight*
Arhosan nhw ddim heno	*They won't stay tonight*

Tasg - beth wnân nhw os...

Trafodwch â'ch partner: Beth wnân nhw os...

...os gwelan nhw ddamwain?

_____

... os na chyrhaeddiff y bws?

_____

... os bydd hi'n bwrw glaw?

_____

... os bydd hi'n braf?

_____

... os gwelan nhw leidr?

_____

... os prynan nhw'r tŷ?

_____

Tasg - gwaith pâr B   *A - tudalen 84*

Beth wnei di am...?

	Chi	Eich partner
7.00	Codi	
7.15	Yfed coffi	
7.30	Siafio	
8.00	Darllen y papur	
8.30	Dal y bws	
9.00	Cyrraedd y swyddfa	
9.20	Gweithio ar y cyfrifiadur	
10.00	Siarad â'r bòs	
12.30	Gwneud te	

Deialog

A: Beth wnei di os gwna i'r te?

B: Os gwnei di'r te, gwna i'r swper.

A: Iawn, mae hynny'n ddigon teg.

B: Wnei di ffonio Siân nes ymlaen?

A: Gwnaf. Ffonia i hi ar ôl te.

B: Cwrdda i â hi tu fa's i Woolworth.

A: Iawn. Dweda i wrthi hi.

B: Diolch i ti.

Geirfa

anghofio	-	*to forget*
bargeinio	-	*to bargain*
blasus	-	*tasty*
colli pwysau	-	*to lose weight*
digon teg	-	*fair enough*
ffurflen(ni) (b)	-	*form(s)*
glanhau	-	*to clean*
llungopi (llungopïau)	-	*photocopy (-ies)*
nes ymlaen	-	*later on*
papuro	-	*to paper*
popeth	-	*everything*

**Ychwanegwch eirfa
sy'n berthnasol i chi:**
*Add vocabulary that's
relevant to you:*

Gramadeg

Dyma amser dyfodol **gwneud** mewn tabl:

Here is the future tense of **gwneud** *in a table:*

Gwna i	*I will do*
Gwnei di	*You will do*
Gwnaiff e/hi	*He/she will do*
Gwnawn ni	*We will do*
Gwnewch chi	*You will do*
Gwnân nhw	*They will do*

Mae dwy ffordd o ddweud pethau yn y dyfodol:
> *There are two ways of saying things in the future:*

Bydda i'n gweld	*I'll be seeing*
Gwela i	*I will see*

Dyma sut mae'r dyfodol yn edrych mewn tabl:
> *This is how the future looks in a table:*

Gwela i	*I will see*
Gweli di	*You will see*
Gweliff e/hi	*He/she will see*
Gwelwn ni	*We will see*
Gwelwch chi	*You will see*
Gwelan nhw	*They will see*

I wneud cwestiwn, mae angen treiglad meddal:
> *To form a question you need a* treiglad meddal:

Wnei di'r gwaith?	*Will you do the work?*
Weli di nhw?	*Will you see them?*

Os

Y dyfodol sy'n cael ei ddefnyddio gydag **Os**, fel arfer:
> *The future tense is usually used with* **Os** *(if):*

Os gweli di	*If you see*
Os tali di'r arian	*If you pay the money*
Os talan nhw	*If they pay*
Os galla i	*If I can*

Os na...

Mae treiglad llaes ar ôl **na** gyda geiriau sy'n dechrau â **p, t, c**.
> *There's a treiglad llaes after* **na**, *with words beginning with* **p, t, c**.
> > e.e. Os na **th**alwch chi... Os na **ph**rynan nhw'r car...

Mae treiglad meddal ar ôl **na** gyda geiriau sy'n dechrau â **b, d, g, ll, m, rh**.
> *There's a* treiglad meddal *after* **na**, *with words beginning with* **b, d, g, ll, m, rh**.
> > e.e. Os na _weli di fe... Os na **f**wytan nhw'r swper....

-iff

Mae rhai pobl yn dweud **-ith** yn lle **-iff**, e.e.
> *Some people say* **-ith** *instead of* **-iff**, *e.g.*
> > Edrychith e, Gwelith hi.

Cwrs Sylfaen: Uned 18

Nod: Mynd a dod *Coming and going*

1. A i os ei di   *I'll go if you go*
   Awn ni os ewch chi   *We'll go if you go*
   Ân nhw os aiff e   *They'll go if he goes*
   Ân nhw os aiff hi   *They'll go if she goes*
   Aiff hi os bydd hi'n braf *She'll go if it's fine*

   A: Wyt ti'n meddwl **ei di** i'r parti?
   B: **A i** os **ân nhw**.

   Newidiwch y darnau mewn print bras.
   Change the parts in bold print.

2. Do i os doi di   *I'll come if you come*
   Down ni os dewch chi   *We'll come if you come*
   Dôn nhw os daw e   *They'll come if he comes*
   Dôn nhw os daw hi   *They'll come if she comes*
   Daw hi os bydd hi'n oer   *She'll come if it's cold*

   A: Wyt ti'n meddwl **doi di** i'r cyfarfod?
   B: **Do i** os **dôn nhw**.

   Newidiwch y darnau mewn print bras.
   Change the parts in bold print.

Cwrs Sylfaen: Uned 18

Tasg - trafod rhaglen yr wythnos

Dyma raglen eich gwyliau wythnos nesa yn Iwerddon. Trafodwch â'ch partner.

Here's the itinerary for your holiday next week in Ireland. Discuss with your partner.

Beth wnewch chi nos Sul?
Pryd ewch chi i'r castell?

Bore Sul	Cyrraedd Iwerddon
Nos Sul	Mynd i'r dafarn
Dydd Llun	Gweld Coleg y Drindod
Dydd Mawrth	Mynd i ffatri Guinness
Dydd Mercher	Teithio i Galway
Dydd Iau	Aros mewn gwesty braf
Dydd Gwener	Mynd am dro i'r ynysoedd
Dydd Sadwrn	Ysgrifennu'r cardiau post
Dydd Sul	Dod yn ôl adre

3.

Ca i beint o gwrw, os cei di rywbeth	*I'll have a pint of beer, if you have something*
Cawn ni win coch, os cewch chi rywbeth	*We'll have red wine, if you have something*
Caiff e lasied o win, os caiff hi rywbeth	*He'll have a glass of wine, if she has something*
Caiff hi ddiod, os caiff e rywbeth	*She'll have a drink, if he has something*
Cân nhw baned o de, os bydd hi'n oer	*They'll have a cup of tea, if it's cold*

Tasg - canlyniadau

Gyda'ch partner, meddyliwch am ganlyniadau i'r sefyllfaoedd hyn.
Dechreuwch eich ateb gyda Cewch chi... / Caiff e... / Ân nhw... / Daw hi... ac yn y blaen.

With your partner, think of consequences for these situations. Start your answers with Cewch chi... / Caiff e... / Ân nhw... / Daw hi... *etc.*

Mae'r car yn mynd i dorri lawr

Dw i'n mynd i fwyta sbrowts

Mae hi'n edrych ar y teledu drwy'r dydd

Dyn ni'n hoffi rhedeg bob dydd

Dw i'n mynd i brynu Skoda

Maen nhw'n mynd i sefyll arholiad

Dyn ni'n mynd ar wyliau i Borth-cawl

Mae e'n gyrru'n rhy gyflym

Dw i'n mynd i yfed deg peint o gwrw heno

Dw i'n mynd i wneud naid bynji

4. *Gwna i ddod i'r cyfarfod   *I'll come to the meeting*

Gwna i fynd yn gynnar   *I'll go early*

Gwna i weld beth alla i wneud   *I'll see what I can do*

Gwna i ofyn i'r tiwtor   *I'll ask the tutor*

Gwnawn ni dalu   *We'll pay*

Gwnaiff e dalu   *He'll pay*

Gwnaiff hi dalu   *She'll pay*

Gwnân nhw dalu   *They'll pay*

Dyma ffordd arall o ddweud 'I'll come', 'He'll go' ac yn y blaen.

This is another way of saying 'I'll come', 'He'll go' etc

*Cofiwch ddweud **Na i... Nei di... Naiff e...** ac yn y blaen.

Tasg - cymharu brawddegau

Darllenwch y ddwy restr isod. Pa frawddegau
yn rhestr A sy'n cyfateb i'r brawddegau yn rhestr B?

Read the two lists below. Which sentences in list A correspond to the sentences in list B?

	A.		B.
1.	Os daw e i'r cyfarfod...	1.	Os gwnaiff e gael y papur...
2.	Os darlleniff hi'r papur...	2.	Os gwnaiff hi fynd i'r cyfarfod...
3.	Os aiff hi i'r cyfarfod...	3.	Os gwnân nhw ddod i'r dre...
4.	Os caiff e'r papur...	4.	Os gwnaiff e ddod i'r cyfarfod...
5.	Os daw hi i'r dre...	5.	Os gwnaiff e weld y papur...
6.	Os gweliff e'r papur...	6.	Os gwnaiff e fynd i'r dre...
7.	Os pryniff e'r papur...	7.	Os gwnaiff hi ddod i'r dre...
8.	Os aiff e i'r dre...	8.	Os gwnân nhw fynd i'r cyfarfod...
9.	Os ân nhw i'r cyfarfod..	9.	Os gwnaiff hi ddarllen y papur...
10.	Os dôn nhw i'r dre...	10.	Os gwnaiff e brynu'r papur...

Y gorffennol

Mae'n bosibl gwneud yr un peth gyda'r
gorffennol - defnyddio **gwneud** + berf, e.e.

Gwelais i'r ffilm

➡ Gwnes i weld y ffilm

Gyda'ch partner, cyfunwch y rhain i
ffurfio brawddeg yn y gorffennol:

*With your partner, combine these
to form a sentence in the past:*

Gwnes i	+ prynu tocyn i'r cyngerdd
Gwnaeth e	+ gweld y dyn yn y parc
Gwnaeth hi	+ cysgu drwy'r nos
Gwnaethon ni	+ talu am y bwyd
Gwnes i	+ gorffen yn gynnar
Gwnaethon nhw	+ darllen y papur

Cofiwch y treiglad meddal!

Geirfa

Coleg y Drindod	-	*Trinity College*
glasied (*neu* glasiaid)	-	*glass (a glassful)*
Iwerddon	-	*Ireland*
naid bynji (b)	-	*bunjee jump*
sbrowts	-	*sprouts*
sefyll arholiad	-	*to sit an examination*
torri lawr	-	*to break down*
ynys(oedd) (b)	-	*island(s)*

**Ychwanegwch eirfa
sy'n berthnasol i chi:**

*Add vocabulary that's
relevant to you:*

_____

_____

_____

_____

 Gramadeg

1. Mae dwy ffordd o ddweud pethau yn y dyfodol a'r gorffennol
yn Gymraeg - y ffordd gwmpasog a'r ffordd gryno.
> *There are two ways of saying things in the future
> and past in Welsh - the long and the short forms.*

Y ffordd gwmpasog
> *The long form*

Defnyddio **gwneud** + berfenw, e.e.
*Using **gwneud** + verb-noun, e.g.*

Gwnes i weld y ffilm   *(Past)*
Gwna i weld y ffilm   *(Future)*

Y ffordd gryno
> *The short form*

Defnyddio bôn y ferf a'r terfyniad, e.e.   Gwelais i'r ffilm   *(Past)*
> *Using the stem of the verb and the ending, e.g.*   Gwela i'r ffilm   *(Future)*

 2. Dyfodol cryno **mynd** a **dod**
> *Short future forms of **mynd** and **dod***

Dyma'r ffurfiau cryno ar gyfer **mynd** a **dod** yn y dyfodol mewn tabl:
> *Here are the short forms for **mynd** and **dod** in the future, in a table:*

A i	Do i
Ei di	Doi di
Aiff e/hi	Daw e/hi
Awn ni	Down ni
Ewch chi	Dewch chi
Ân nhw	Dôn nhw

Cwrs Sylfaen: Uned 19

1.

Dylet ti fwyta llai	*You should eat less*
Dylet ti yfed dŵr	*You should drink water*
Dylet ti ddefnyddio'r bws	*You should use the bus*
Dylet ti gerdded mwy	*You should walk more*
Dylwn i boeni llai	*I should worry less*
Dylwn i ymlacio mwy	*I should relax more*
Dylwn i adolygu mwy	*I should revise more*
Dylwn i fynd ma's mwy	*I should go out more*
Ddylwn i ddim bwyta gymaint	*I shouldn't eat so much*
Ddylwn i ddim defnyddio'r car gymaint	*I shouldn't use the car so much*
Ddylwn i ddim smygu gymaint	*I shouldn't smoke so much*
Ddylwn i ddim yfed gymaint	*I shouldn't drink so much*

Tasg - rhoi cyngor

Gyda'ch partner, meddyliwch am bedwar peth dylech chi gwneud a phedwar peth ddylech chi ddim gwneud:

With your partner think of four things you should do and four things you shouldn't do:

	Dylwn i...	Ddylwn i ddim...
1.		
2.		
3.		
4.		

2.

Dylai fe fynd ma's mwy	*He should go out more*
Dylai fe golli pwysau	*He should lose weight*
Dylai hi fynd i'r gampfa	*She should go to the gym*
Dylai hi adolygu bob nos	*She should revise every night*
Dylen nhw briodi	*They should marry*
Dylen nhw roi'r gorau i smygu	*They should give up smoking*
Beth ddylai fe wneud?	*What should he do?*
Beth ddylai hi wneud?	*What should she do?*
Beth ddylen nhw wneud?	*What should they do?*

 Tasg - trafod y lluniau

Gyda'ch partner, trafodwch beth ddylai'r bobl yn y lluniau hyn wneud.

With your partner, discuss what the people in these pictures should do.

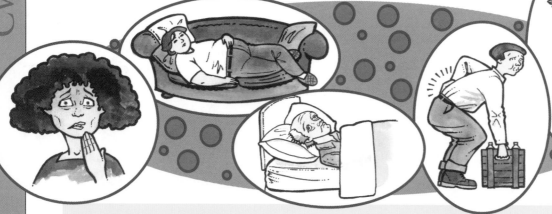

3.

Dylwn i fod wedi gofyn	*I should have asked*
Dylwn i fod wedi mynd	*I should have gone*
Ddylwn i ddim bod wedi gadael	*I should not have left*
Ddylwn i ddim bod wedi dod	*I should not have come*
Beth ddylet ti fod wedi wneud?	*What should you have done?*

Tasg - siarad â'ch partner

Dwedwch wrth eich partner beth ddylech chi fod wedi wneud ddoe. Dyma rai awgrymiadau:

Tell your partner what you should have done yesterday. Here are some suggestions:

bwydo'r gath
glanhau'r tŷ bach
prynu papur newydd
bwyta afal
ffonio ffrind

Meddyliwch am dri pheth arall:

Think of another three things:

1. _____

2. _____

3. _____

4. Hoffwn i ddod heno — *I'd like to come tonight*
Hoffwn i gael bisgïen arall — *I'd like to have another biscuit*
Hoffen ni fynd i'r dafarn — *We'd like to go to the pub*
Hoffen ni ddweud rhywbeth — *We'd like to say something*

Beth hoffet ti wneud? — *What would you like to do?*
Hoffet ti gael un arall? — *Would you like to have another one?*

5. Gallwn i fynd i'r cyfarfod — *I could go to the meeting*
Gallwn i adael yn gynnar — *I could leave early*
Gallen ni fod wedi mynd adre — *We could have gone home*
Gallen ni fod wedi gweithio — *We could have worked*

Allech chi fod wedi mynd? — *Could you have gone?*
Allet ti fod wedi dod? — *Could you have come?*
Gallwn, wrth gwrs — *Yes, of course*
Na allwn, mae'n flin gyda fi — *No, I'm sorry*

Tasg - Partner A *(Partner B - tudalen 96)*
Atebwch gwestiynau eich partner a defnyddiwch
y patrymau isod i gael gwybodaeth i lenwi'r bylchau:

Answer your partner's questions and use the patterns
below to find the information to fill in the grid:

Beth hoffet ti wneud ...?
Ond beth ddylet ti wneud ...?

chi

	Beth hoffwn i wneud	Beth ddylwn i wneud
Dydd Llun	aros yn y gwely	mynd i'r gwaith
Dydd Mawrth	gorwedd yn yr haul	gwneud yr ardd
Dydd Mercher	edrych ar y teledu	gwneud y gwaith cartre
Dydd Iau	gorwedd ar y soffa	mynd i redeg
Dydd Gwener	mynd i'r dafarn	galw i weld mam

eich partner

	Beth hoffai fe/hi wneud	Beth ddylai fe/hi wneud
Dydd Llun		
Dydd Mawrth		
Dydd Mercher		
Dydd Iau		
Dydd Gwener		

Tasg - 'Battleships'

Hoffet ti _____? Hoffwn, wrth gwrs.

Na hoffwn, dim diolch.

canu gyda Barry Manilow	darllen *War and Peace*	aros yn yr Hilton	deall S4C
byw yn Llundain	yfed deg peint o gwrw	siarad Cymraeg yn rhugl	bod yn dal
priodi rhywun enwog	dysgu Eidaleg	symud tŷ	byw yng nghefn gwlad
mynd i Wlad Belg	gyrru Mercedes	colli pwysau	gweithio'n rhan-amser

Tasg - Partner B *(Partner A - tudalen 95)*

Atebwch gwestiynau eich partner a defnyddiwch y patrymau isod i gael gwybodaeth i lenwi'r bylchau:

Answer your partner's questions and use the patterns below to find the information to fill in the grid:

Beth hoffet ti wneud ...?
Ond beth ddylet ti wneud ...?

chi	Beth hoffwn i wneud	Beth ddylwn i wneud
Dydd Llun	codi'n hwyr	codi'n gynnar
Dydd Mawrth	darllen y papur	coginio swper
Dydd Mercher	siarad â'r cariad	siarad â'r bòs
Dydd Iau	yfed wisgi	yfed dŵr
Dydd Gwener	mynd ma's	aros gartre

eich partner	Beth hoffai fe/hi wneud	Beth ddylai fe/hi wneud
Dydd Llun		
Dydd Mawrth		
Dydd Mercher		
Dydd Iau		
Dydd Gwener		

Deialog

A: Dylet ti fynd ma's mwy.

B: Dylwn, ond does dim ffrindiau gyda fi.

A: Hoffet ti ddod ma's gyda ni heno?

B: Hoffwn, diolch yn fawr i ti.

A: Allet ti roi lifft i ni?

B: Gallwn, wrth gwrs.

 # Geirfa

adolygu	-	*to revise*
bisgïen (bisgedi) (b)	-	*biscuit(s)*
campfa (b)	-	*gym*
cefn gwlad	-	*countryside*
cymaint	-	*as much*
lico *neu* licio	-	*to like*
llai	-	*less*
poeni	-	*to worry*
rhan-amser	-	*part-time*
rhoi'r gorau i	-	*to give up*
tŷ bach	-	*toilet*
ymlacio	-	*to relax*

Gramadeg

Dyma amser amodol y berfau hyn mewn tabl:

Here is the conditional tense for these verbs in a table:

Hoffwn i	*I would like*	Gallwn i	*I could*	Dylwn i	*I should*
Hoffet ti	*You would like*	Gallet ti	*You could*	Dylet ti	*You should*
Hoffai fe/hi	*He/she would like*	Gallai fe/hi	*He/she could*	Dylai fe/hi	*He/she should*
Hoffen ni	*We would like*	Gallen ni	*We could*	Dylen ni	*We should*
Hoffech chi	*You would like*	Gallech chi	*You could*	Dylech chi	*You should*
Hoffen nhw	*They would like*	Gallen nhw	*They could*	Dylen nhw	*They should*

I ofyn cwestiwn, mae angen treiglad meddal ar y dechrau,
e.e. **Allech chi...? Ddylen nhw...?**

> *To ask a question, a* treiglad meddal *is needed at the beginning,*
> *e.g.* **Allech chi...? Ddylen nhw...?**

Gyda brawddeg negyddol hefyd mae angen treiglad meddal ar y dechrau,
e.e. **Allwn i ddim... Ddylet ti ddim...**

> *You also need a* treiglad meddal *at the beginning of a negative sentence,*
> *e.g.* **Allwn i ddim... Ddylet ti ddim...**

Listen out for...

Instead of hoffi, *or* hoffwn i... *Welsh speakers like to use* **lico** *or* **licio**,
e.e. **Dw i'n lico coffi** *or even* **Licwn i weld y ffilm.**

Cwrs Sylfaen: Uned 20

Nod: Adolygu ac ymestyn *Revision and extension*

 Dweud 'Yes' yn Gymraeg

Ymarfer gyda'ch partner. Gofynnwch y cwestiynau hyn i'ch gilydd, gan ateb **Yes** yn Gymraeg.
*Practise with your partner. Ask each other these questions, answering **Yes** in Welsh.*

Dych chi'n **gweithio** ar hyn o bryd? **Athro / Athrawes** dych chi? Oedd hi'n **wlyb** ddoe? Oes **brawd** gyda chi? Ga i **fynd** nawr?	Aethoch chi **i'r dafarn** neithiwr? Fyddwch chi'n mynd **i'r gwaith** yfory? Mae digon o **arian yn y banc**. Mae hi'n **braf** heddiw.

Newidiwch y geiriau mewn print bras.
Change the words in bold print.

Cynlluniau heno

Dewiswch o'r rhestr hon a llenwi'r golofn **Chi**. Yna,
holwch eich partner i weld ble bydd e/hi ar yr amserau gwahanol.
*Choose from this list and fill the column **Chi**. Then, ask your
partner questions to see where he/she will be at the different times.*

yn y gampfa

yn y garafán

mewn cyfarfod

gyda'r cariad

mewn ymarfer

yn y gawod

yn y tŷ bwyta

yn y pwll nofio

yn gweithio yn yr ardd

yn gweithio yn y swyddfa

Chi		Eich partner	
5.30		5.30	
6.00		6.00	
6.30		6.30	
7.00		7.00	
7.30		7.30	
8.00		8.00	
8.30		8.30	
9.00		9.00	

Fyddi di yn y gawod am wyth o'r gloch?   Bydda / Na fydda

Holiadur

Mae cwmni ymchwil farchnad wedi gofyn i chi ddysgu mwy am arferion pobl ar benwythnosau. Bydd eich tiwtor yn dosbarthu'r holiadur. Gofynnwch y cwestiynau i o leiaf bump person. Byddan nhw'n gofyn i chi hefyd.

A market research company has asked you to find out more about people's weekend habits. Your tutor will give you the questionnaire. Ask at least five people the questions. They will ask you as well.

Matsio brawddegau

Gyda'ch partner, trafodwch beth yng ngholofn A allai fod yn ganlyniad i rywbeth sy yng ngholofn B, e.e. Gwisgiff e ddillad gwyn os aiff e i glwb nos.

With your partner, discuss what in column A could be the result of something in column B, e.g. He'll wear white clothes if he goes to a night club.

Os...

A	B
Gwisgo dillad gwyn	Pysgota
Prynu gwely	Talu bil
Bwyta popcorn	Mynd i Safeway
Gwisgo welingtons	Newid llyfr
Gwisgo siwt	Mynd i Slumberland
Gwneud aerobics	Mynd i'r sinema
Eistedd ar y soffa	Chwarae tennis
Mynd i'r Swyddfa Bost	Edrych ar y teledu
Mynd i'r llyfrgell	Mynd i glwb nos
Prynu bwyd	Mynd i'r ganolfan hamdden

Arddywediad

Bydd eich tiwtor yn rhoi darnau i chi eu har-ddweud wrth eich partner. Wrth wrando, ysgrifennwch y darn ar bapur sgrap, yna gwirio beth dych chi wedi ei ysgrifennu o'i gymharu â'r darn gwreiddiol.

Your tutor will give you pieces to dictate to your partner. As you listen, write the piece on scrap paper, then check what you've written compared to the original text.

Dewi	Eleri

Mae'r ddau'n....

Cwrs Sylfaen: Uned 20

 Gwrando

Gwrandewch ar y ddeialog
a llenwch y ffurflen yma:
*Listen to the dialogue
and fill in this form:*

Geirfa

anrheg(ion) (b) - *present(s)*
archebu - *to order*
brys - *hurry*
canolig - *medium*
cawod(ydd) (b) - *shower(s)*
cerdyn credyd - *credit card*
cludiant - *transport*
dramor - *abroad*
i'w weld e - *to see him*
maint - *size*
nifer - *number*

**Ychwanegwch eirfa
sy'n berthnasol i chi:**
*Add vocabulary that's
relevant to you:*

_____

_____

_____

_____

Ffurflen Archebu 'Dillad Dilys'
'Dillad Dilys' Order Form

Enw'r Cwsmer: _____

Cyfeiriad: _____

_____

_____

Cod Post: _____

Rhif Ffôn: _____

Eitem: _____

Maint a nifer:
(Size and number)

☐	☐	☐	☐
Bach	Canolig	Mawr	Mawr iawn

Pris (yn cynnwys cludiant): _____
(including postage)

Talu sut?:

☐	☐	☐	☐
Cerdyn	Siec	Arian	Taleb *(voucher)*

Neges ar y parsel: _____

_____

Mastermind

Beth wnewch chi dros y penwythnos, os bydd hi'n braf?

Beth wnewch chi dros y penwythnos, os bydd hi'n bwrw glaw?

Ble byddwch chi am naw o'r gloch heno?

Ble o't ti am naw o'r gloch neithiwr?

Beth ddylech chi wneud heno?

Beth hoffech chi wneud heno?

Dych chi'n nabod rhywun sy'n byw dramor?

Beth dych chi'n feddwl o'r bobl drws nesa i chi?

Beth yw'ch hoff fwyd chi?

Pwy yw'ch hoff ganwr chi?

Rhestr gyfair *Check list*

✔ **Ticiwch beth dych chi'n gallu wneud.** *Tick what you can do.*

☐ Dw i'n gallu dweud ble bydda i yn y dyfodol
I can say where I will be in the future

☐ Dw i'n gallu holi rhywun arall ble bydd e neu hi yn y dyfodol
I can ask someone else where they will be in the future

☐ Dw i'n gallu dweud ble bydd rhywun arall yn y dyfodol
I can say where someone else will be in the future

☐ Dw i'n gallu dweud beth fydda i'n wneud yn y dyfodol
I can say what I will be doing in the future

☐ Dw i'n gallu holi rhywun arall beth fydd e neu hi'n wneud yn y dyfodol
I can ask someone else what they will be doing in the future

☐ Dw i'n gallu dweud beth fydd rhywun arall yn wneud yn y dyfodol
I can say what someone else will be doing in the future

☐ Dw i'n gallu trafod canlyniadau gwneud pethau
I can discuss the consequences of doing things

☐ Dw i'n gallu trafod mynd a dod yn y dyfodol (A i, Do i)
I can discuss coming and going in the future (A i, Do i)

☐ Dw i'n gallu dweud beth ddylwn i wneud a beth ddylwn i ddim wneud
I can say what I ought and ought not to do

☐ Dw i'n gallu rhoi cyngor i rywun a dweud beth ddylen nhw wneud
I can give someone advice and say what they ought to do

☐ Dw i'n gallu dweud beth hoffwn i wneud
I can say what I would like to do

☐ Dw i'n gallu gofyn beth hoffai rhywun arall wneud
I can ask what someone else would like to do

☐ Dw i'n gallu dweud beth allwn i wneud
I can say what I could do

☐ Dw i'n gallu gofyn beth allai rhywun arall wneud
I can ask what someone else could do

Geirfa Graidd - unedau 16–20

adolygu	-	*to revise*	rhan-amser	-	*part-time*
anghofio	-	*to forget*	rhoi'r gorau i	-	*to give up*
bargeinio	-	*to bargain*	rhugl	-	*fluent*
bisgïen			sbrowts	-	*sprouts*
(bisgedi) (b)	-	*biscuit(s)*	sefyll arholiad	-	*to sit an*
blasus	-	*tasty*			*examination*
byth	-	*never*	torri lawr	-	*to break down*
campfa (b)	-	*gym*	tŷ bach	-	*toilet*
cefn gwlad	-	*countryside*	ymlacio	-	*to relax*
colli pwysau	-	*to lose weight*	yn bendant	-	*definitely*
cyngerdd			ynys(oedd) (b)	-	*island(s)*
(cyngherddau)					
(b/g)	-	*concert(s)*			
cymaint	-	*as much*			
digon teg	-	*fair enough*			
ffurflen(ni) (b)	-	*form(s)*			
glanhau	-	*to clean*			
glasied					
(*neu* glasiaid)	-	*glass (a glassful)*			
gorwedd	-	*to lie (down)*			
Iwerddon	-	*Ireland*			
lico *neu* licio	-	*to like*			
llai	-	*less*			
llungopi					
(llungopïau)	-	*photocopy(-ies)*			
naid bynji (b)	-	*bunjee jump*			
nes ymlaen	-	*later on*			
papuro	-	*to paper*			
poeni	-	*to worry*			
popeth	-	*everything*			

Cwrs Sylfaen: Uned 21

Nod: Dweud beth fasech chi'n wneud... *Saying what you would do...*

1.

Baswn i'n rhoi arian i Barnados	*I'd give money to Barnados*
Baswn i'n mynd ar wyliau i America	*I'd go on holiday to America*
Baswn i'n prynu car newydd	*I'd buy a new car*
Baswn i'n symud i Aberhonddu	*I'd move to Brecon*
Gyda miliwn o bunnoedd...	*With a million pounds...*
Faset ti'n rhoi arian i Oxfam?	*Would you give money to Oxfam?*
Faset ti'n mynd ar wyliau i Albania?	*Would you go on holiday to Albania?*
Faset ti'n prynu cwch hwylio?	*Would you buy a yacht?*
Faset ti'n symud i Gaernarfon?	*Would you move to Caernarfon?*
Baswn	*Yes, I would*
Na faswn, byth!	*No, never!*

Tasg - sut i wario'r arian

Trafodwch â'ch partner. Ceisiwch gytuno ar un elusen i roi arian iddi, un man gwyliau i fynd iddo, un peth i'w brynu, ac un lle i symud iddo, gyda miliwn o bunnoedd.

Discuss with your partner. Try to agree on one charity to give money to, one place to go on holiday to, one thing to buy, and one place to move to, with a million pounds.

Basen **ni'n** rhoi arian i Tenovus	*We'd give money to Tenovus*
Basen **ni'n** mynd ar wyliau i Ffrainc	*We'd go on holiday to France*

Tasg – dyfalu pwy

Gêm ichi ei chwarae fel dosbarth. Ar ddarn o bapur, ysgrifennwch un peth fasech chi'n wneud gyda miliwn o bunnoedd. Bydd eich tiwtor yn egluro beth sy'n digwydd nesa!

*A game for the class to play. Write on a piece of paper one thing **you** would do with a million pounds. Your tutor will explain what happens next!*

2. Basai fe'n mynd ar brotest — *He'd go on a protest*
Fasai fe ddim yn siarad Cymraeg mewn siop — *He wouldn't speak Welsh in a shop*
Basai hi'n teithio ar feic modur — *She'd travel on a motor bike*
Fasai hi ddim yn byw mewn gwlad dramor — *She wouldn't live in a foreign country*
Basen nhw'n rhoi arian ar y ceffylau — *They'd put money on horses*
Fasen nhw ddim yn bwyta bwyd GM — *They wouldn't eat GM food*

Fasai fe'n mynd?	Basai/Na fasai	*Would he go?*	*Yes/No*
Fasai hi'n mynd?	Basai/Na fasai	*Would she go?*	*Yes/No*
Fasen nhw'n mynd?	Basen/Na fasen	*Would they go?*	*Yes/No*

Tasg - gêm gadwyn

Siaradwch am beth fasai pawb yn wneud gyda miliwn o bunnoedd - fyddwch chi'n cofio?
Talk about what everyone would do with a million pounds - will you remember?

Holiadur

Cwestiwn: Fasech chi'n _____ ?

Enw:	✔ Baswn	✔ Na faswn

3. Basai'n well gyda fi fynd i Sbaen   *I'd rather go to Spain*
Basai'n well gyda fi fynd ar gwrs Cymraeg   *I'd rather go on a Welsh course*
Basai'n well gyda ni fynd ma's i'r dafarn   *We'd rather go out to the pub*
Basai'n well gyda ni fynd i'r sinema   *We'd rather go to the cinema*

A: Hoffech chi fynd i Ffrainc?   *Would you like to go to France?*
B: Basai'n well gyda ni fynd i Sbaen   *We'd rather go to Spain*

A: Hoffech chi fynd ma's i'r dafarn?   *Would you like to go out to the pub?*
B: Basai'n well gyda fi fynd i'r sinema   *I'd rather go to the cinema*

 Tasg - beth fasai'n well gyda chi wneud?
Gyda'ch partner, meddyliwch beth fasai'n well gyda chi wneud.
     With your partner, think of what you'd rather do.

1. Hoffech chi fwyta swper mawr?   e.e. Basai'n well gyda fi fwyta brechdan
2. Hoffech chi fynd ar gwrs Ffrangeg?   _____
3. Hoffech chi weithio mewn banc?   _____
4. Hoffech chi ganu mewn côr?   _____
5. Hoffech chi wrando ar Pavarotti?   _____
6. Hoffech chi fwyta malwod?   _____
7. Hoffech chi symud i Loegr?   _____
8. Hoffech chi fod yn diwtor?   _____

Deialog

A: Licet ti fod yn blismon?
B: Na licen. Faswn i ddim yn gallu gwneud hynny.
A: Beth licet ti wneud, 'te?
B: Dw i ddim yn gwybod.
A: Rhaid bod syniad gyda ti.
B: Nac oes. Chwarae teg, dim ond deg oed dw i!

Geirfa

Aberhonddu	-	*Brecon*
beic modur	-	*motor bike*
bwyd GM	-	*GM food*
ceffyl(au)	-	*horse(s)*
cwch hwylio	-	*yacht, lit. sailing boat*
gwlad dramor (gwledydd tramor) (b)	-	*foreign country(-ies)*
malwoden (malwod) (b)	-	*snail(s)*

Ychwanegwch eirfa sy'n berthnasol i chi:
Add vocabulary that's relevant to you:

_____

_____

_____

_____

Gramadeg

Dyma amser amodol **bod**. Mae'r terfyniadau yr un peth ag ar gyfer **Dyl-, Hoff-, Gall-**.
*This is the conditional of **bod**. The endings are the same as for **Dyl-, Hoff-, Gall-**.*

Baswn i	Faswn i?	Faswn i ddim
Baset ti	Faset ti?	Faset ti ddim
Basai fe	Fasai fe?	Fasai fe ddim
Basai hi	Fasai hi?	Fasai hi ddim
Basen ni	Fasen ni?	Fasen ni ddim
Basech chi	Fasech chi?	Fasech chi ddim
Basen nhw	Fasen nhw?	Fasen nhw ddim

Wrth gysylltu â gweddill y frawddeg, mae angen **yn / 'n** fel arfer, e.e. Baswn i'n mynd.
*When linking with the rest of the sentence, you usually need **yn / 'n**, e.g. Baswn i'n mynd.*

Wrth gysylltu **Dylwn i..., Hoffwn i... Gallwn i...** â gweddill y frawddeg,
does dim **yn / 'n**, ond mae angen treiglad meddal ar y ferf, e.e. Dylwn i **f**ynd
*When linking **Dylwn i..., Hoffwn i... Gallwn i...** to the rest of the sentence, you
don't need **yn / 'n** but you do need a* treiglad meddal *in the verb, e.g.* Dylwn i **f**ynd

Cwrs Sylfaen: Uned 22

Nod: Dweud beth fasech chi'n wneud, tasai... *Saying what you would do, if...*

1. Baswn i'n mynd am dro, tasai hi'n braf — *I'd go for a walk, if it were fine*

Baswn i'n garddio, tasai'n hi'n braf — *I'd work in the garden, if it were fine*

Baswn i'n rhedeg ar y traeth, tasai hi'n braf — *I'd run on the beach, if it were fine*

Faswn i ddim yn aros yn y tŷ, tasai hi'n braf — *I wouldn't stay in the house, if it were fine*

Baswn i'n darllen mwy, tasai amser gyda fi — *I'd read more, if I had time*

Baswn i'n gwneud ioga, tasai amser gyda fi — *I'd do yoga, if I had time*

Baswn i'n symud, tasai arian gyda fi — *I'd move, if I had money*

Baswn i'n mynd ar wyliau, tasai arian gyda fi — *I'd go on holiday, if I had money*

Beth faset ti'n wneud, tasai hi'n braf? — *What would you do, if it were fine?*

Beth faset ti'n wneud, tasai amser gyda ti? — *What would you do, if you had time?*

Tasg - taswn i'n mynd i'r tŷ bwyta yma...

Edrychwch ar y fwydlen hon. Beth fasech chi'n ddewis? Trafodwch â'ch partner.

Look at this menu. What would you choose? Discuss with your partner.

Caffi'r Cwm
BWYDLEN

I ddechrau: Cawl

Pate ar dost

Madarch mewn garlleg

Prif gwrs: Pysgodyn mewn saws

Cyri cyw iâr poeth (gyda reis)

Cig eidion (gyda llysiau a thatws)

Twrci (gyda llysiau a thatws)

Pasta mewn saws tomato *(addas i lysieuwyr)*

Pwdin: Treiffl

Hufen iâ

Cacen gaws

Bargen amser cinio: 2 gwrs am £9.50, 3 chwrs am £15.

2. Taswn i'n gweld damwain,
   baswn i'n ffonio'r heddlu
Taswn i'n gweld lleidr mewn siop,
   faswn i ddim yn gwneud dim byd
Taswn i wedi colli'r allwedd i'r tŷ,
   baswn i'n ffonio ffrind
Taswn i'n gweld rhywun oedd
   yn dost, baswn i'n trio helpu

If I saw an accident,
   I'd phone the police
If I saw a thief in a shop,
   I wouldn't do anything
If I'd lost the key to the house,
   I'd phone a friend
If I saw someone who was
   ill, I'd try to help

Tasg - sefyllfaoedd
Gyda'ch partner, trafodwch beth
fasech chi'n wneud yn y sefyllfaoedd hyn:
*With your partner, discuss what
you would do in these situations:*

3. Basai fe'n sgïo ar y môr, tasai fe'n gallu
Basai fe'n gwneud naid bynji, tasai
   fe'n cael
Basai hi'n symud tŷ, tasai hi'n gallu
Basai hi'n mynd i Tibet, tasai hi'n cael

Fasai ots gyda ti, tasen nhw'n
   dod hefyd?
Fasai ots gyda ti, tasen nhw'n
   cael gwybod?

He'd ski on the sea, if he could
He'd do a bunjee jump, if he were allowed to

She'd move house, if she could
She'd go to Tibet, if she were allowed to

Would you mind, if they came as well?

Would you mind, if they got to know?

Faswn i ddim yn gwneud hynny, yn dy le di	I wouldn't do that, if I were you (in your place)
Faswn i ddim yn aros, yn dy le di	I wouldn't stay, if I were you
Faswn i ddim yn gwahodd pawb, yn dy le di	I wouldn't invite everyone, if I were you

Tasg - gwahodd

Gyda'ch partner, meddyliwch am bump person enwog i'w gwahodd i swper. Meddyliwch am resymau hefyd, e.e. Basen ni'n gwahodd Tom Jones - basai fe'n gallu canu ar ôl y bwyd. Yna, meddyliwch am bobl fasech chi **ddim** yn eu gwahodd!

*With your partner, think of five famous people to invite to supper. Think of reasons as well, e.g. Basen ni'n gwahodd Tom Jones - basai fe'n gallu canu ar ôl y bwyd. Then think of people you would **not** invite!*

Tasg - matsio brawddegau

Cysylltwch ddau hanner priodol y brawddegau hyn:

Connect the two appropriate halves of these sentences:

Baswn i'n prynu Mercedes	tasai hi ar goll
Baswn i'n dost	tasai digon gyda fi
Basai fe'n gwisgo cot	tasai pen tost gyda nhw
Basen nhw'n cymryd aspirin	tasen ni'n eistedd fan hyn?
Faswn i ddim wedi codi eto	taset ti'n gweld rhywun yn dwyn?
Baswn i wedi rhoi'r arian i ti	taswn i'n yfed deg peint o gwrw
Fasai ots gyda chi	tasai llawer o arian gyda fi
Basech chi wedi ennill	tasai hi'n ddydd Sul
Faset ti'n dweud wrth yr heddlu	tasech chi wedi dal ati
Basai hi'n gofyn i rywun am help	tasai hi'n bwrw glaw

Rhowch y ddeialog hon yn y drefn iawn

Na faswn. Pam dylwn i? _____

Dw i ddim yn dy nabod di! _____

Pam wyt ti'n meddwl hynny? _____

Does dim arian gyda fi o gwbl. _____

Faset ti'n rhoi benthyg arian i fi? _____

Faswn i ddim yn cael dim byd yn ôl.

Gramadeg

1. Mae'r gair Saesneg **if** yn gynwysedig yn y rhan **taswn i...** ac yn y blaen.
Dych chi ddim yn gallu dweud **os** yma.

*The English word **if** is included in the part **taswn i...** etc. You can't say **os** here.*

Taswn i	Tasen ni
Taset ti	Tasech chi
Tasai fe/hi	Tasen nhw

2. Mae siaradwyr Cymraeg yn talfyrru yma yn aml iawn,
e.e. **'swn i'n mynd, 'swn i'n gallu**.

*Welsh speakers often abbreviate here, e.g. **'swn i'n mynd, 'swn i'n gallu**.*
Also listen out for:

Basen i... *instead of* **Baswn i...**

In South Wales, **Byddwn i...** *etc. is often used instead (i.e.* **Bydd_** *with the same endings).*

Geirfa

addas	- *suitable*		hufen iâ	- *ice cream*
bargen			llysieuwr (llysieuwyr)	- *vegetarian(s)*
(bargeinion) (b)	- *bargain(s)*		llysieuyn (llysiau)	- *vegetable(s)*
beichiog	- *pregnant*		madarch	- *mushrooms*
cacen gaws			meddwl	- *to think, to believe*
(cacennau caws) (b)	- *cheese cake(s)*		rhoi benthyg	- *to lend*
cael	- *to have; to be allowed*		saws	- *sauce*
cael gwybod	- *to get to know*		sefyllfa(oedd) (b)	- *situation(s)*
	(lit. to be allowed		treiffl	- *trifle*
	to know)		trwm	- *heavy*
cawl	- *soup; stew*		yn dy le di	- *if I were you*
cig eidion	- *beef*			(lit. in your place)
cwrs (cyrsiau)	- *course(s)*		ynys(oedd) (b)	- *island(s)*
cyfoethog	- *rich*			
cymryd	- *to take*			
disgwyl babi	- *to expect a baby*			
dwyn	- *to steal*			
fan hyn	- *here*			
garlleg	- *garlic*			
gwahodd	- *to invite*			

**Ychwanegwch eirfa
sy'n berthnasol i chi:**

*Add vocabulary that's
relevant to you:*

_____

_____

_____

Cwrs Sylfaen: Uned 23

Pa mor bell yw'r llawr?

Nod: Trafod pellter, maint a phwysau *Discussing distance, size and weight*

1.

Dyw e ddim yn bell	*It's not far*
Mae e'n bell iawn	*It's very far*
Tua milltir, siŵr o fod	*About a mile, probably*
Tua dwy filltir, am wn i	*About two miles, I suppose*
Tua phum milltir i'r de, medden nhw	*About five miles to the south, they say*
Pa mor bell yw hi i'r dre?	*How far is it to town?*
Pa mor bell yw'r parc o fan hyn?	*How far is the park from here?*
Pa mor bell i ffwrdd yw'r dafarn?	*How far away is the pub?*

 Tasg - trafod yr arwydd

Trafodwch pa mor bell yw'r llefydd yma, gyda'ch partner:

Discuss how far these places are, with your partner:

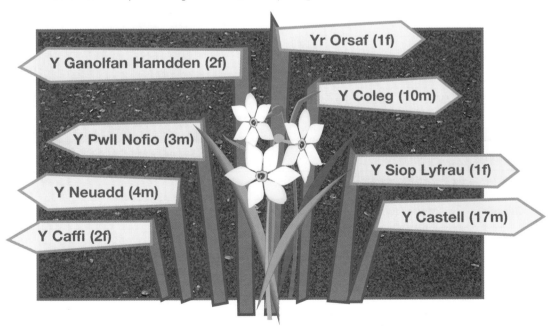

Yr Orsaf (1f)

Y Ganolfan Hamdden (2f)

Y Coleg (10m)

Y Pwll Nofio (3m)

Y Siop Lyfrau (1f)

Y Neuadd (4m)

Y Castell (17m)

Y Caffi (2f)

2.

Dyw e ddim yn fawr iawn	*It's not very big*
Mae e'n fawr iawn	*It's very big*
Mae e'n enfawr	*It's enormous*
Mae e tua dwy droedfedd o hyd	*It's about two foot long*
Mae e tua thair troedfedd o led	*It's about three foot wide*
Mae e tua deg troedfedd o drwch	*It's about ten foot thick*
Mae e tua ugain troedfedd o uchder	*It's about twenty foot high*
Pa mor fawr yw e?	*How big is it?*
Pa liw yw e?	*Which colour is it?*
Beth yw ei hyd e?	*What is its length?*
Beth yw ei led e?	*What is its width?*
Beth yw ei uchder e?	*What is its height?*

Tasg - dyfalu'r gwrthrych

Yn barau, meddyliwch am dair neu bedair brawddeg i ddisgrifio gwrthrych wrth y dosbarth. Byddan nhw'n dyfalu beth yw e. Bydd eich tiwtor yn helpu.

In pairs, think of three or four sentences to describe an object to the rest of the class. They will guess what it is. Your tutor will help.

Tasg - siarad am y tabl

Gyda'ch partner, siaradwch am y pethau isod. Llenwch y bylchau yn eich tabl chi.

With your partner, discuss the things listed below. Fill in the gaps in your table.

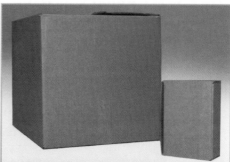

Partner A (Mae tabl Partner B ar dudalen 114)

Beth	Trwm	Lliw	Hyd	Lled	Uchder
Bocs mawr	eitha trwm		2'		2'
Bwrdd		brown		4'	
Oergell	trwm iawn		3'		5'
Microdon		arian		1'	
Cwpwrdd	eitha trwm		1'		5'
Bath		gwyn		3'	

3. Mae e'n pwyso deg stôn a hanner | *He weighs ten and a half stone*
Mae hi'n pwyso tua naw stôn | *She weighs about nine stone*

Mae e tua phum troedfedd, dwy fodfedd | *He's around five foot, two inches*
Mae hi tua chwe throedfedd | *She's around six foot*

Pa mor drwm yw Bryn? | *How heavy is Bryn?*
Pa mor dal yw Eleri? | *How tall is Eleri?*

 Tasg - siarad am bobl
Gyda'ch partner, siaradwch am y bobl yma:
With your partner, talk about these people:

Enw:	Bryn	Jac	Eifion
Taldra:	6'	5'6"	5'
Pwysau:	20 stôn	10 stôn	9 stôn

Enw:	Ethel	Meryl	Delilah
Taldra:	5'	5'6"	6'
Pwysau:	8 stôn	12 stôn	16 stôn

Deialog

A: Wnei di gario'r bocs draw i'r siop i fi?
B: Gwnaf wrth gwrs. Ble mae e?
A: Yn y lolfa.
B: Pa mor fawr yw e?
A: Mae e tua throedfedd o hyd a throedfedd o led.
B: Ydy e'n drwm?
A: Nac ydy, ddim o gwbl.
B: Pa mor bell yw'r siop o fan hyn?
A: Tua hanner milltir. Os ei di nawr, bydd y siop ar agor.
B: Popeth yn iawn.

Newidiwch y ddeialog:
*Change the dialogue to talk about a parcel which is in the garage,
and needs to be taken to the house. The parcel's around half a foot
wide and fairly heavy. The house is a mile away, but no problem by car.*

Cwrs Sylfaen: Uned 23

Tasg - bwletin tywydd

Darllenwch y bwletin tywydd hwn yn uchel i'ch partner, a thanlinellu'r
darnau dych chi ddim yn eu deall. Bydd eich tiwtor yn eich helpu.

> *Read this weather bulletin aloud to your partner and underline
> the parts you don't understand. Your tutor will help you.*

Dyma'r tywydd. Mae hi'n bwrw eira yng ngogledd Cymru ar hyn o bryd.

Byddwch yn ofalus os dych chi ar y ffordd adre yn y car. Does dim eira

yn ne Cymru, ond mae hi'n oer iawn dros y wlad.

Heno, bydd y gwynt yn codi yn y Gogledd, a bydd niwl o gwmpas yn ne Cymru.
Bydd y ffyrdd yn beryglus dros nos, felly.

Fodd bynnag, bydd y tywydd yn gwella dros y penwythnos. Bydd hi'n braf ledled
Cymru, mae'n debyg, ond bydd hi'n para'n wyntog ar hyd y Gogledd tan ddydd
Llun. Os dych chi'n hwylio i Iwerddon, ffoniwch i wneud yn siŵr fod y fferi'n mynd.

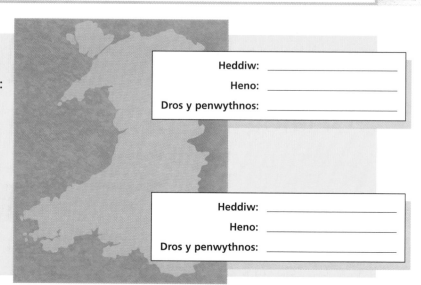

Llenwch y bylchau ar y
map hwn ar sail y bwletin:
> *Fill in the gaps
> on this map on the
> basis of the bulletin:*

Heddiw: _____

Heno: _____

Dros y penwythnos: _____

Heddiw: _____

Heno: _____

Dros y penwythnos: _____

Partner B	(Tasg - *Siarad am y tabl, tudalen 112*)				
Beth	**Trwm**	**Lliw**	**Hyd**	**Lled**	**Uchder**
Bocs mawr		du		1'	
Bwrdd	trwm		3'		4' a hanner
Oergell		gwyn		3'	
Microdon	ddim yn drwm		1' a hanner		1'
Cwpwrdd		glas		3'	
Bath	trwm iawn, iawn		7'		3' a hanner

Gramadeg

1. Defnyddiwch air unigol ar ôl rhif yn Gymraeg bob amser:
> *Always use a singular noun after a number in Welsh:*

dwy filltir	- two miles	*(the plural of* milltir *is* milltiroedd*)*
tair merch	- three daughters	*(the plural of* merch *is* merched*)*

2. *Use* **Pa mor...?** *to mean* **How...?** *before an adjective, e.g.* Pa mor dal...? *(How tall...?)*
Use **Sut...?** *to mean* **How...?** *in other places, e.g.* Sut dych chi?

Geirfa

am wn i	-	*I suppose, as far as I know*	para	-	*to last*
cwmpawd	-	*compass*	pwysau	-	*weight*
De	-	*South*	pwyso	-	*to weigh*
draw	-	*over (there)*	siŵr o fod	-	*probably*
dros	-	*over (e.g. a bridge)*	stôn	-	*stone (weight)*
Dwyrain	-	*East*	taldra	-	*height*
fferi	-	*ferry*	troedfedd(i) (b)	-	*foot (in length)*
gofalus	-	*careful*	trwch	-	*thickness*
Gogledd	-	*North*	uchder	-	*height*
Gorllewin	-	*West*			
gorsaf(oedd) (b)	-	*station(s)*			
gwella	-	*to get better*			
hwylio	-	*to sail*			
hyd	-	*length*			
i ffwrdd	-	*away*			
ledled	-	*all over*			
lled	-	*width*			
mae'n debyg	-	*probably*			
medden nhw	-	*they say, so they say*			
milltir(oedd) (b)	-	*mile(s)*			
modfedd(i) (b)	-	*inch(es)*			
neuadd(au) (b)	-	*hall(s)*			

Ychwanegwch eirfa sy'n berthnasol i chi:
> *Add vocabulary that's relevant to you:*

Cwrs Sylfaen: Uned 24

Nod: Cymharu pethau a phobl I *Comparing things and people I*

1.

Dyw hi ddim mor bert â hynny	*She's not as pretty as that (not all that pretty)*
Dyw hi ddim mor gyfoethog â Bill Gates	*She's not as rich as Bill Gates*
Dyw e ddim mor olygus â hynny	*He isn't as handsome as that (not all that handsome)*
Dyw e ddim mor boblogaidd â Tom Jones	*He isn't as popular as Tom Jones*
Dyw e ddim mor ddrud â cafiar	*It isn't as expensive as caviar*
Dyw e ddim mor rhad â bara	*It isn't as cheap as bread*
Dyw e ddim mor dal â David Beckham	*He isn't as tall as David Beckham*
Dyw e ddim mor fyr â Danny DeVito	*He isn't as short as Danny DeVito*

A: Mae Twiggy'n denau *Twiggy's thin*

B: Dyw hi ddim mor denau *She isn't as thin as*
ag Angelina Jolie *Angelina Jolie*

â > ag (o flaen llafariad)
(in front of a vowel)

![icon] Tasg - cymharu dau berson / dau beth

Meddyliwch am bobl sy'n enwog, tew, golygus, pert, cyfoethog, poblogaidd, byr, tal, ifanc a phethau sy'n ddrud ac yn rhad. Defnyddiwch y cwestiwn a'r ateb A/B i siarad amdanyn nhw.

Think of people who are famous, fat, handsome, pretty, rich, popular, short, tall, young and things which are expensive and cheap. Use the question and answer A/B to talk about them.

A: Mae Microsoft yn ddrud *Microsoft is expensive*

B: Dyw e ddim mor ddrud *It's not as expensive as Apple Macintosh*
ag Apple Macintosh

2. Dyn nhw ddim cystal â'r Manics *They're not as good as the Manics*
Dyw e ddim cynddrwg â *Big Brother* *It's not as bad as* Big Brother
Dyw e ddim cymaint â hynny *It's not as much as that*
Dyw e ddim mor bell ag Efrog Newydd *It's not as far as New York*

A: Mae'r Stereophonics yn dda *The Stereophonics are good*
B: Dyn nhw ddim cystal â'r Manics *They're not as good as the Manics*

 Tasg - cymharu pobl enwog
Dwedwch rywbeth am y bobl hyn:

e.e. Sean Connery: _Dyw e ddim cystal â Pierce Brosnan_

Ryan Giggs: _____

Catherine Zeta Jones: _____

The Rolling Stones: _____

Shirley Bassey: _____

Pobl y Cwm: _____

3. Maen nhw mor gas â'i gilydd *They're as nasty as each other*
Dych chi mor dwp â'ch gilydd *You're as stupid as each other*
Dyn ni mor dwp â'n gilydd *We're as stupid as each other*
Dyn ni mor euog â'n gilydd *We're as guilty as each other*

 Tasg – defnyddio 'ei gilydd'
A: Mae Bryn yn gas *Bryn's nasty*
B: Mae Siân yn gas hefyd *Siân's nasty too*
A: Maen nhw mor gas â'i gilydd *They're as nasty as each other*

A: Mae Bryn yn dwp *Bryn's stupid*
B: Dw i'n dwp hefyd *I'm stupid as well*
A: Dych chi mor dwp â'ch gilydd *You're as stupid as each other*

A: Dw i'n euog *I'm guilty*
B: Dw i'n euog hefyd *I'm guilty as well*
A: Dyn ni mor euog â'n gilydd *We're as guilty as each other*

Defnyddiwch y geiriau yma i ymarfer y deialogau:
Use these words to practise the dialogues:

salw   swnllyd   diog   hapus   cyfoethog   poblogaidd

4. Dw i mor siomedig â fe   *I'm as disappointed as him*
Dw i mor ddiog â hi   *I'm as lazy as her*
Dw i mor dwp â nhw   *I'm as stupid as them*
Dw i mor boblogaidd â chi   *I'm as popular as you*
Dw i mor dew â ti   *I'm as fat as you*

A: Mae **Bryn** mor **siomedig**   *Bryn's so disappointed*
B: Dw i mor **siomedig** â fe   *I'm as disappointed as him*

Newidiwch y geiriau mewn print bras.
Change the words in bold print.

Tasg - cymariaethau

Gyda'ch partner, meddyliwch am gymariaethau gan ddefnyddio'r gair ar y chwith.
With your partner, think of comparisons, using the word on the left:

mor ___ â / ag

tew:	Mae John Prescott mor dew â Pavarotti.
tal:	
drud:	
cyfoethog:	
pert:	
tenau:	
swnllyd:	
diog:	
blewog:	

Deialog

A: Mae **Richard Branson** yn **gyfoethog**.
B: Ydy. Mae **e**'n **gyfoethog** iawn.
A: Dyw e ddim mor **gyfoethog** â'r **Frenhines**.
B: Paid bod yn dwp! Wrth gwrs **fod e**.
A: Maen nhw mor **gyfoethog** â'i gilydd 'te.

Newidiwch y geiriau mewn print bras.
Change the words in bold print.

Gramadeg

1. Mae treiglad meddal ar ôl **mor**, e.e. Mae e mor **d**wp â Siân

2. Peidiwch defnyddio **'n/yn** gyda **mor**, e.e. Maen nhw'**n** dal > Maen nhw mor dal

3. **Mor**   *on its own means **so**, e.g.* Mae e **mor** siomedig
                  but with **â** *means **as...as**, e.g.* Mae e **mor** ddiog â fi

4. **Cymaint**   *on its own means **so much**, e.g.* Does dim angen **cymaint**
                  but with **â** *means **as much as**, e.g.* Does dim angen **cymaint** â hynny

5. **Cystal**   *on its own means **so good**, e.g.* Does neb **cystal**
                  but with **â** *means **as good as**, e.g.* Does neb **cystal** â ti

6. **Cynddrwg**   *on its own means **so bad**, e.g.* Does neb **cynddrwg**
                  but with **â** *means **as bad as**, e.g.* Does neb **cynddrwg â** ti

Geirfa

cas	- *nasty*
cymaint	- *so much*
cymaint â	- *as much as*
cymharu	- *to compare*
cynddrwg	- *so bad*
cynddrwg â	- *as bad as*
cystal	- *so good*
cystal â	- *as good as*
diog	- *lazy*
ei gilydd, ein gilydd, eich gilydd	- *each other*
euog	- *guilty*
mor	- *so*
mor ... â / ag	- *as ... as*
poblogaidd	- *popular*
siomedig	- *disappointed*

**Ychwanegwch eirfa
sy'n berthnasol i chi:**
*Add vocabulary that's
relevant to you:*

_____

_____

_____

_____

Cwrs Sylfaen: Uned 25

Nod: Adolygu ac ymestyn *Revision and extension*

1.

Baswn i'n symud i America, taswn i'n gallu	*I'd move to America, if I could*
Baswn i'n prynu tŷ newydd, taswn i'n cael	*I'd buy a new house, if I were allowed*
Faswn i ddim yn symud, taswn i yn dy le di	*I wouldn't move, if I were you (in your place)*
Faswn i ddim yn mynd am dro, taswn i yn dy le di	*I wouldn't go for a walk, if I were you*
Faset ti'n symud, taset ti'n gallu?	*Would you move, if you could?*
Baswn. Baswn i'n symud i Loegr	*Yes. I'd move to England*
Na faswn. Basai'n well gyda fi aros yng Nghymru	*No. I'd rather stay in Wales*

 Tasg - beth fasech chi'n wneud?

Gyda'ch partner, trafodwch beth fasech chi'n wneud yn y sefyllfaoedd hyn:
With your partner, discuss what you'd do in these situations:

Does dim arian gyda John

Mae Siân yn mynd i gael babi

Dyw Tom ddim yn hoffi pasta

Gaeth Edwina ei harestio ddoe

Mae Morys yn symud tŷ

Hoffai Delyth ganu mewn côr

Mae Jerry'n casáu tywydd oer

Nawr, meddyliwch am gliwiau i weddill y dosbarth. Bydd eich tiwtor yn eich helpu.
Now, think of clues for the rest of the class. Your tutor will help you.

2. Baswn i'n dweud bod hi'n...   *I'd say she was...*

         ... bum troedfedd, naw modfedd   *... five foot, nine inches*

         ... ddeg stôn   *... ten stone*

         ... bedwar deg oed   *... forty years old*

Pa mor dal yw hi?	*How tall is she?*
Pa mor drwm yw hi?	*How heavy is she?*
Pa mor hen yw hi?	*How old is she?*

Tasg - dyfalu am bobl

Mewn grwpiau, edrychwch ar y lluniau y bydd eich tiwtor yn eu rhoi i chi. Gofynnwch y cwestiynau uchod am y bobl a'u trafod.

In groups, look at the pictures your tutor will give you.
Ask the above questions about the people and discuss them.

3.

Dw i mor siomedig â chi	*I'm as disappointed as you*
Dw i mor ddiog ag Alison	*I'm as lazy as Alison*
Dw i cynddrwg â nhw	*I'm as bad as them*
Dyn ni mor dwp â'n gilydd	*We're as stupid as each other*
Dyn ni ddim mor fyr â hynny	*We're not as short as that*
Pa mor siomedig dych chi?	*How disappointed are you?*
Dw i mor siomedig â neb	*I'm as disappointed as anyone*
Dyn ni ddim mor siomedig â hynny	*We're not as disappointed as (all) that*

Geiriau: **twp, diog, tal, poblogaidd, da.**

 Tasg - gwneud brawddegau

Ffurfiwch frawddegau gan ddefnyddio'r sbardunau hyn:

Form sentences using these prompts:

Ioan Gruffudd	+	golygus	+	Brad Pitt
Caerdydd	+	prysur	+	Birmingham
mis Ionawr	+	gwlyb	+	mis Chwefror
Tom Jones	+	poblogaidd	+	Shirley Bassey
George Bush	+	twp	+	Homer Simpson

Cofiwch / *Remember*:   **mor** = **as** yn Saesneg (nid *more*)

Gwrando

Gwrandewch ar y negeseuon ffôn hyn. Bydd eich tiwtor yn chwarae'r negeseuon dair gwaith. Llenwch y grid ar sail yr wybodaeth yn y negeseuon.

Listen to these telephone messages. Your tutor will play the messages three times. Fill in the grid on the basis of the information in the messages.

	Ffonio o ble?	Beth yw'r broblem?	Pwy sy'n gallu helpu?	Pryd bydd yr help yn cyrraedd?
Neges 1				
Neges 2				
Neges 3				

Gêm drac adolygu

Glaniwch ar y sgwâr ac atebwch y cwestiwn

Land on the square and answer the question

Dechrau	Tasai arian gyda chi, ble hoffech chi fyw? Pam?	Beth yw **North, South, West, East** yn Gymraeg?	Tasai hi'n bwrw glaw, beth fasech chi'n wneud?	Ble hoffech chi fynd ar eich gwyliau nesa? Pam?
Pa mor dal dych chi?	Cymharwch Siôn Corn a Pavarotti	Beth dych chi'n feddwl o'r bobl sy'n byw drws nesa i chi?	Ble o'ch chi am wyth o'r gloch neithiwr? Yn gwneud beth?	Pwy yw'ch hoff ganwr chi? Pam?
Beth ddylech chi wneud heno?	Pa mor bell yw Llundain o ble dych chi'n byw?	Gofynnwch 'How far away is the college?' yn Gymraeg.	Ble byddwch chi dros y penwythnos?	Beth dych chi'n feddwl o Gaerdydd?
Ble o'ch chi'n byw ym 1989?	Beth yw eich hoff ddiod chi? Pam?	Ble gaethoch chi'ch geni?	Tasech chi'n gweld damwain, fasech chi'n stopio?	Beth wnaethoch chi neithiwr?
Dych chi'n nabod rhywun sy'n byw dramor? Sut?	Gaethoch chi'ch arestio erioed? Pam?	Beth fasai'n well gyda chi - mynd i Sbaen neu fynd i Ffrainc? Pam?	Beth wnewch chi heno, os bydd hi'n bwrw glaw?	*Diwedd*

Rhestr gyfair *Check list*

✔ **Ticiwch beth dych chi'n gallu wneud.** *Tick what you can do.*

☐ Dw i'n gallu dweud beth faswn i'n wneud mewn sefyllfa arbennig
I can say what I would do in a particular situation

☐ Dw i'n gallu dweud beth fasai rhywun arall yn wneud
I can say what someone else would do

☐ Dw i'n gallu holi beth fasai rhywun arall yn wneud
I can ask what someone else would do

☐ Dw i'n gallu dweud beth fasai'n well gyda fi wneud
I can say what I would prefer to do

☐ Dw i'n gallu holi beth hoffai rhywun wneud
I can ask what someone would like to do

☐ Dw i'n gallu dweud beth fasai'n digwydd mewn sefyllfa arbennig
I can say what would happen in a particular situation

☐ Dw i'n gallu dweud pa mor bell yw rhywle neu rywbeth
I can say how far somewhere or something is

☐ Dw i'n gallu siarad am faint, hyd, lled, pwysau rhywbeth
I can talk about something's size, length, width, weight

☐ Dw i'n gallu cymharu pethau â'i gilydd
I can compare things

☐ Dw i'n gallu cymharu pobl â'i gilydd
I can compare people

Cwrs Sylfaen: Uned 25

 Geirfa Graidd - unedau 21-25

Aberhonddu	-	*Brecon*
addas	-	*suitable*
am wn i	-	*I suppose,*
		as far as I know
bargen		
(bargeinion) (b)	-	*bargain(s)*
beic modur	-	*motor bike*
beichiog	-	*pregnant*
bwyd GM	-	*GM food*
cacen gaws		
(cacennau		
caws) (b)	-	*cheese cake(s)*
cael	-	*to have;*
		to be allowed
cael gwybod	-	*to get to know*
		(lit. to be allowed
		to know)
cas	-	*nasty*
cawl	-	*soup; stew*
ceffyl(au)	-	*horse(s)*
cig eidion	-	*beef*
cwch hwylio	-	*yacht,*
		lit. sailing boat
cwmpawd	-	*compass*

cwrs (cyrsiau)	-	*course(s)*
cyfoethog	-	*rich*
cymaint	-	*so much*
cymaint â	-	*as much as*
cymharu	-	*to compare*
cymryd	-	*to take*
cynddrwg	-	*so bad*
cynddrwg â	-	*as bad as*
cystal	-	*so good*
cystal â	-	*as good as*
De	-	*South*
diog	-	*lazy*
disgwyl babi	-	*to expect a baby*
draw	-	*over (there)*
dros	-	*over (e.g. a bridge)*
dwyn	-	*to steal*
Dwyrain	-	*East*
ei gilydd,		
ein gilydd,		
eich gilydd	-	*each other*
euog	-	*guilty*
fan hyn	-	*here, right here*
fferi	-	*ferry*
garlleg	-	*garlic*
gofalus	-	*careful*
Gogledd	-	*North*
Gorllewin	-	*West*
gorsaf(oedd) (b)	-	*station(s)*
gwahodd	-	*to invite*

	mae'n debyg	- *probably*
	malwoden	
	(malwod) (b)	- *snail(s)*
	medden nhw	- *they say, so they say*
	meddwl	- *to think, to believe*
	milltir(oedd) (b)	- *mile(s)*
	modfedd(i) (b)	- *inch(es)*
gwella	- *to get better*	mor	- *so*
gwlad dramor		mor ... â / ag	- *as ... as*
(gwledydd		neuadd(au) (b)	- *hall(s)*
tramor) (b)	- *foreign country(-ies)*	para	- *to last*
hufen iâ	- *ice cream*	poblogaidd	- *popular*
hwylio	- *to sail*	pwysau	- *weight*
hyd	- *length*	pwyso	- *to weigh*
i ffwrdd	- *away*	rhoi benthyg	- *to lend*
ledled	- *all over*	saws	- *sauce*
lled	- *width*	sefyllfa(oedd) (b)	- *situation(s)*
llysieuwr		siomedig	- *disappointed*
(llysieuwyr)	- *vegetarian(s)*	siŵr o fod	- *probably*
llysieuyn		stôn	- *stone (weight)*
(llysiau)	- *vegetable(s)*	taldra	- *height*
madarch	- *mushrooms*	treiffl	- *trifle*
		troedfedd(i) (b)	- *foot (in length) (feet)*
		trwch	- *thickness*
		trwm	- *heavy*
		uchder	- *height*
		yn dy le di	- *if I were you*
			(lit. in your place)
		ynys(oedd) (b)	- *island(s)*

Cwrs Sylfaen: Uned 26

Nod: Cymharu pethau a phobl II *Comparing things and people II*

1.

Roedd hi'n oerach ddoe	*It was colder yesterday*
Roedd hi'n wlypach ddoe	*It was wetter yesterday*
Roedd hi'n sychach ddoe	*It was drier yesterday*
Roedd hi'n boethach ddoe	*It was hotter yesterday*
Bydd hi'n fwy cymylog yfory	*It will be more cloudy tomorrow*
Bydd hi'n fwy gwyntog yfory	*It will be more windy tomorrow*
Bydd hi'n fwy stormus yfory	*It will be more stormy tomorrow*
Bydd hi'n fwy diflas yfory	*It will be more miserable tomorrow*

A: Mae hi'n wlyb heddiw — *It's wet today*
B: Bydd hi'n wlypach yfory — *It will be wetter tomorrow*

Tasg - cardiau tywydd
Bydd eich tiwtor yn rhoi cardiau i chi ymarfer trafod y tywydd.
Your tutor will give you cards to practise discussing the weather.

2.

Dw i'n dwpach na ti	*I'm stupider than you*
Dw i'n ifancach na ti	*I'm younger than you*
Dw i'n henach na ti	*I'm older than you*
Dw i'n dalach na ti	*I'm taller than you*
Dw i'n fwy cyfoethog na fe	*I'm more rich than him*
Dw i'n fwy deallus na fe	*I'm more intelligent than him*
Dw i'n fwy salw na hi	*I'm more ugly than her*
Dw i'n fwy doniol nag Angela	*I'm more funny than Angela*

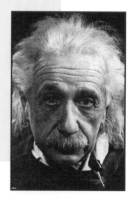

A: Beth wyt ti'n feddwl o Einstein? — *What do you think of Einstein?*
B: Roedd e'n fwy deallus na fi — *He was more intelligent than me*

A: Beth wyt ti'n feddwl o George W Bush? — *What do you think of George W Bush?*
B: Mae e'n dwpach na fi — *He's more stupid than me*

Tasg - gwneud brawddegau

Ffurfiwch frawddegau gan ddefnyddio'r sbardunau hyn:

Form sentences using these prompts:

e.e. John	+ tal	+ Mair	= Mae John yn dalach na Mair
Tom	+ ifanc	+ hi	= _____
Dai	+ cyfoethog	+ pawb	= _____
heddiw	+ oer	+ ddoe	= _____
Einstein	+ deallus	+ fi	= _____
Porridge	+ doniol	+ Blackadder	= _____
Caerdydd	+ hen	+ Casnewydd	= _____
Gordon Brown	+ pwysig	+ Tony Blair	= _____
Pavarotti	+ tew	+ John Prescott	= _____

3.

Mae'r Mirror yn well na'r Sun — *The Mirror's better than the Sun*
Mae eliffant yn fwy na llygoden — *An elephant's bigger than a mouse*
Mae Everest yn uwch na'r Wyddfa — *Everest is higher than Snowdon*
Mae dŵr yn rhatach na gwin — *Water is cheaper than wine*

Mae'r Sun yn waeth na'r Mirror — *The Sun is worse than the Mirror*
Mae llygoden yn llai nag eliffant — *A mouse is smaller than an elephant*
Mae'r Wyddfa'n is nag Everest — *Snowdon is lower than Everest*
Mae gwin yn ddrutach na dŵr — *Wine is more expensive than water*

A: Ydy'r Mirror yn well na'r Sun? — *Is the Mirror better than the Sun?*
B: Nac ydy, mae e'n waeth o lawer — *No, it's much worse*

Tasg - trafod y lluniau

Gyda'ch partner, edrychwch ar y lluniau hyn a'u cymharu.
With your partner, look at these pictures and compare them.

4.	Dw i'n dda am chwarae pêl-droed	*I'm good at playing football*
	Dw i'n dda am goginio	*I'm good at cooking*
	Dw i'n dda iawn am gofio pethau	*I'm very good at remembering things*
	Dw i'n dda iawn am wneud dim byd	*I'm very good at doing nothing*

A: Dw i'n dda iawn am ysgrifennu   *I'm very good at writing*
B: Dw i'n well na ti   *I'm better than you*

Deialog

A: Dw i'n **dalach** na ti.
B: Wyt.
A: Dw i'n **gryfach** na ti.
B: Falle fod ti.
A: A dw i'n well na ti am **gofio pethau.**
B: Wyt. Rwyt ti'n fwy **plentynnaidd** hefyd!

Newidiwch y geiriau mewn print bras.
Change the words in bold print.

Geirfa

blewog	-	*hairy*
deallus	-	*intelligent*
mwyn	-	*mild*
o lawer	-	*by far*
plentynnaidd	-	*childish*
pwysig	-	*important*

Ychwanegwch eirfa sy'n berthnasol i chi:
Add vocabulary that's relevant to you:

_____

_____

_____

_____

_____

 Gêm drac ansoddeiriau

Dechrau	**tew**→	byr	**cryf**
cyflym←	←cyfoethog	**hen**←	bach
hapus	**ifanc**→	salw	**tal**
deallus←	←swnllyd	**pert**	←poblogaidd
araf	**tenau**→	blewog	**mawr**
Diwedd ←	uchel	**drud**←	twp

Gramadeg

1. Dych chi'n gallu rhoi **-ach** ar ddiwedd geiriau byr, fel arfer, e.e. **tal** > **talach**.
   Mae rhai eithriadau, e.e. **hapus**ach, **ifanc**ach, sydd ychydig yn hirach.
   *You can put **-ach** at the end of shorter words, usually, e.g. **tal** > **talach**.*
   *There are some exceptions, e.g. **hapus**ach, **ifanc**ach, which are a little longer.*

2. Gyda geiriau hir, rhaid defnyddio **mwy**, e.e. **cyfoethog** > Mae e'n **fwy** cyfoethog.
   *With longer words, you need **mwy**, e.g. **cyfoethog** > Mae e'n **fwy** cyfoethog.*

3. Mae geiriau sy'n gorffen â **d**, **b**, neu **g** yn caledu'r llythyren olaf,
   wrth ychwanegu **-ach**, e.e.
   *Words which end with **d**, **b** or **g** harden the last letter when you add –ach, e.g.*

   rhad > Mae e'n rhatach
   gwlyb > Mae e'n wlypach

4. Mae **na** yn newid i **nag** o flaen llafariad. Mae **na** yn achosi treiglad llaes,
   e.e. Mae te'n well na **ch**offi.
   *The word **na** changes to **nag** before a vowel. **Na** causes a treiglad llaes*
   *(tcp mutations), e.g. Mae te'n well na **ch**offi*

Tasg - cyflwyno pwnc

Mewn grwpiau o dri, siaradwch am un o'r pynciau hyn am dri munud:
In groups of three, talk about one of these topics for three minutes:

a. Ffilmiau / Rhaglenni teledu
b. Cymdeithasu
c. Y teulu
ch. Gwaith

Cwrs Sylfaen: Uned 27

Nod: Cymharu pethau a phobl III *Comparing things and people III*

1.

Fi yw'r gorau	*I'm the best*
Ti yw'r gwaetha	*You're the worst*
Bryn yw'r gorau	*Bryn's the best*
Siân yw'r waetha	*Siân's the worst*

A: Pwy yw'r gorau am goginio?   *Who's the best for cooking?*
B: Fi yw'r gorau   *I'm the best*

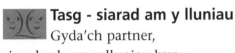 **Tasg - siarad am y lluniau**
Gyda'ch partner,
siaradwch am y lluniau hyn:

2.

Dw i'n meddwl taw Bryn yw'r mwya	*I think that Bryn's the biggest*
Dw i'n meddwl taw Tom yw'r lleia	*I think that Tom's the smallest*
Dw i'n meddwl taw John yw'r byrra	*I think that John's the shortest*
Dw i'n meddwl taw Dai yw'r gwanna	*I think that Dai's the weakest*
Dw i'n meddwl taw Gwyn yw'r twpa	*I think that Gwyn's the stupidest*

A: Pwy yw'r tala?   *Who's the tallest?*
B: Dw i'n meddwl taw Siân yw'r dala   *I think Siân's the tallest*

> mawr [mwy-]   bach [llei-]   tew
> tal   cryf   gwan   twp
> hen   ifanc

Tasg – siarad am y llun
Trafodwch y bobl yn y llun yma
gan ddefnyddio'r patrymau yn 2. uchod.
*Discuss the people in this picture
using the patterns in 2 above.*

3. Bryn yw'r mwya doniol   *Bryn's the most funny*
Bryn yw'r mwya poblogaidd   *Bryn's the most popular*
Bryn yw'r mwya enwog   *Bryn's the most famous*
Bryn yw'r mwya cyfoethog   *Bryn's the richest*

Siân yw'r fwya tenau   *Siân's the thinnest*
Siân yw'r fwya deallus   *Siân's the most intelligent*
Siân yw'r fwya tawel   *Siân's the quietest*
Siân yw'r fwya swil   *Siân's the shyest*

Tasg - siarad am y dosbarth
Mewn parau, trafodwch weddill y dosbarth. Byddwch yn gwrtais!
In pairs discuss the rest of the class. Be polite!

Pwy yw'r hena yn y dosbarth?
Pwy yw'r ifanca?
Pwy yw'r cryfa?
Pwy yw'r tewa?
Pwy yw'r mwya cyfoethog?
Pwy yw'r mwya swil?

Tasg - siarad am enwogion
Dwedwch rywbeth am y bobl enwog hyn:

Sean Connery   Madonna

Arnold Schwarzenegger   Woody Allen

Bill Gates   J.K. Rowling

Kate Moss

4.

America yw'r wlad fwya	*America is the biggest country*
Caracas yw'r ddinas fwya peryglus	*Caracas is the most dangerous city*
Everest yw'r mynydd ucha	*Everest is the highest mountain*
Yr Amazon yw'r afon hira	*The Amazon is the longest river*

A: Pa un yw'r wlad fwya yn y byd?   *Which is the largest country in the world?*

B: Dw i'n meddwl taw America   *I think (that) America is the biggest country*
     yw'r wlad fwya yn y byd   *in the world*

Gêm adolygu

Defnyddiwch y gêm drac yn Uned 26 i ymarfer y patrwm hwn.

Rhaid glanio ar y sgwâr a dweud brawddeg, gan ddechrau â 'Dw i'n meddwl taw...'

*Use the track game in Unit 26 to practise this pattern. You must land
on a square and say a sentence, starting with 'Dw i'n meddwl taw...'*

Deialog 1

A: Pwy yw'r person mwya deallus yn y lle 'ma?

B: Fi wrth gwrs.

A: Rwyt ti'n tynnu 'nghoes i. Ti yw'r twpa.

B: Nage wir, paid bod mor gas.

Deialog 2

A: Pa un yw'r afon hira yn y byd?

B: Dw i'n meddwl taw afon Nîl yw hi.

A: Ro'n i'n meddwl taw'r Amazon oedd hi.

B: Pam wyt ti'n gofyn i fi os wyt ti'n
     gwybod yn barod?

Geirfa

gorau	-	*best*
gwaetha	-	*worst*
swil	-	*shy*
taw	-	*that*
tynnu	-	*to pull*

**Ychwanegwch eirfa
sy'n berthnasol i chi:**
     *Add vocabulary that's
relevant to you:*

_____

_____

_____

_____

![g] Gramadeg

1. Dych chi'n gallu rhoi **-a** ar ddiwedd geiriau byr, fel arfer, e.e. **tal** > **tala**.
Mae rhai eithriadau, e.e. **hapus**a, **ifanc**a, sy'n eiriau ychydig yn hirach.

> *You can put -a at the end of shorter words usually, e.g.* **tal** > **tala**.
> *There are some exceptions, e.g.* **hapus**a, **ifanc**a, *which are slightly longer words.*

2. Gyda geiriau hir, rhaid defnyddio **mwya**, e.e. **cyfoethog** > Fe yw'r **mwya** cyfoethog.

> *With longer words, you need* **mwya**, *e.g.* **cyfoethog** > Fe yw'r **mwya** cyfoethog.

3. Wrth ychwanegu **-a**, mae geiriau sy'n gorffen â **d**, **b**, neu **g** yn caledu'r llythyren olaf, e.e.

> *When you add -a, words which end with* **d**, **b** *or* **g** *harden the last letter, e.g.*

> rhad > dyma'r rha**t**a
> gwlyb > dydd Sul oedd y gwly**p**a

4. Os dych chi'n defnyddio'r radd eitha, (h.y. yn dweud pwy neu beth yw'r mwya, gorau, gwaetha, tala ac ati), rhaid i chi roi'r peth neu'r person ar ddechrau'r frawddeg. Mae hon yn frawddeg bwysleisiol, ac i ateb neu gytuno â brawddegau fel hyn, dych chi'n defnyddio **Ie/Nage**.

> *If you're using the superlative, (i.e. saying who or what is the biggest, best, worst, tallest, etc.) you must put the thing or person at the start of the sentence. This is an emphatic sentence, and to answer or agree with sentences like these, you must use* **Ie/Nage**.

Er enghraifft:

> **John** yw'r tala.   *(emphasising John)*
> Nage. **Tom** yw'r tala.   *(emphasising Tom)*

Cwrs Sylfaen: Uned 28

Nod: Trafod dyddiadau a chyfnodau o amser *Discussing dates and periods of time*

1. Ers o leia dwy funud   *For at least two minutes*
Ers o leia pum munud   *For at least five minutes*
Ers o leia ugain munud   *For at least twenty minutes*
Ers o leia hanner awr   *For at least half an hour*

Ers tua awr a hanner   *For about an hour and a half*
Ers tua dwy awr   *For about two hours*
Ers tair awr   *For three hours*
Ers oriau   *For hours*

Dw i 'ma ers sbel   *I ['ve been] here for a while*
Dw i 'ma ers achau   *I ['ve been] here for ages*

Ers faint wyt ti'n aros fan hyn?   *Since when are you waiting here?*
          [How long have you been waiting here?]

Ers pryd mae John yn byw 'ma?   *Since when is John living here?*
          [How long has John been living here?]

 Tasg - gwaith trafod
Defnyddiwch y grid hwn i drafod â'ch partner:
Use this grid to discuss with your partner:

Pwy	Beth	Ers faint
John	aros am y trên	60m
fy mrawd i	byw yn yr ardal	blwyddyn
Siân	dysgu Cymraeg	sbel
y plant	chwarae	30m
ti	edrych ar y teledu	120m

2.

Bues i 'na am wythnos	*I was there for a week*
Bues i 'na am bythefnos	*I was there for a fortnight*
Buon ni 'na am dair wythnos	*We were there for three weeks*
Buon ni 'na am fis cyfan	*We were there for a whole month*
Am faint o amser buoch chi yn Sbaen?	*For how long were you in Spain?*
Ble buoch chi?	*Where were you?*
Fuoch chi yn America erioed?	*Were you ever in America?*
Fuoch chi yn Ffrainc erioed?	*Were you ever in France?*
Fuoch chi yn Iwerddon erioed?	*Were you ever in Ireland?*
Fuest ti yn Llydaw erioed?	*Were you ever in Brittany?*
Fuest ti yn America erioed?	*Were you ever in America?*
Do, bues i 'na unwaith	*Yes, I was there once*
Naddo, fues i ddim 'na erioed	*No, I was never there*

Tasg - siarad am wledydd

Dych chi wedi bod mewn nifer o wledydd. Dewiswch o'r gwledydd hyn a'r cyfnodau amser a nodir. Yna, holwch eich partner.

You've been to a number of countries. Choose from these countries and the periods of time noted. Then ask your partner.

Sbaen	Ffrainc	Y Swistir		wythnos	pythefnos	
Yr Alban	Iwerddon	America		diwrnod	tair wythnos	mis
Llydaw	Portiwgal	Yr Almaen		dau fis	blwyddyn	sbel

Chi - gwlad?	Chi - am faint?	Eich partner - gwlad?	Eich partner - am faint?

3. Ers blwyddyn   *For/Since a year*
Ers dwy flynedd   *For/Since two years*
Ers tair blynedd   *For/Since three years*
Ers pedair blynedd   *For/Since four years*
Ers pum mlynedd   *For/Since five years*

Y cyntaf o Awst   *The first of August*
Yr ail o Dachwedd   *The second of November*
Y trydydd o Fehefin   *The third of June*
Y pedwerydd o Hydref   *The fourth of October*
Y pumed o Fawrth   *The fifth of March*
Y chweched o Ionawr   *The sixth of January*
Y seithfed o Ragfyr   *The seventh of December*
Yr wythfed o Orffennaf   *The eighth of July*
Y nawfed o Fai   *The ninth of May*
Y degfed o Fedi   *The tenth of September*

Pryd mae'ch pen-blwydd chi?   *When is your birthday?*
Pryd mae pen-blwydd Bryn?   *When is Bryn's birthday?*

Dyma'r dyddiadau posib i gyd:
    Here are all the possible dates:

1af	cyntaf	12fed	deuddegfed	23ain	trydydd ar hugain
2il	ail	13eg	trydydd ar ddeg	24ain	pedwerydd ar hugain
3ydd	trydydd	14eg	pedwerydd ar ddeg	25ain	pumed ar hugain
4ydd	pedwerydd	15fed	pymthegfed	26ain	chweched ar hugain
5ed	pumed	16eg	unfed ar bymtheg	27ain	seithfed ar hugain
6ed	chweched	17eg	ail ar bymtheg	28ain	wythfed ar hugain
7fed	seithfed	18fed	deunawfed	29ain	nawfed ar hugain
8fed	wythfed	19eg	pedwerydd ar bymtheg	30ain	degfed ar hugain
9fed	nawfed	20fed	ugeinfed	31ain	unfed ar ddeg ar hugain
10fed	degfed	21ain	unfed ar hugain		
11eg	unfed ar ddeg	22ain	ail ar hugain		

Tasg - holi am ben-blwyddi
Cerwch o gwmpas y dosbarth yn holi pawb am ddyddiad eu pen-blwydd.
    Go around the class asking every one about the date of their birthday.

Tasg - dyddiadau

Matsiwch y Gymraeg a'r Saesneg. Rhowch y dyddiad.
Match the Welsh and English. Give the date.

e.g.	Saint David's Day	—— Dydd Gŵyl Dewi	*Y cyntaf o Fawrth*
	New Year's Eve	Noson Tân Gwyllt	_____
	Christmas Day	Dydd Calan	_____
	New Year's Day	Dydd Ffŵl Ebrill	_____
	Christmas Eve	Dydd Nadolig	_____
	Bonfire Night	Dydd Sant Ffolant	_____
	Saint Valentine's Day	Dydd Santes Dwynwen	_____
	April Fool's Day	Noswyl Nadolig	_____
	Saint Dwynwen's Day	Nos Galan	_____

Mewn grwpiau, meddyliwch am ragor o gwestiynau i'w gofyn i'r dosbarth ...
In groups, think of more questions to ask the class ...

Pryd mae Dydd San Padrig?   Pryd mae Cymru'n chwarae Lloegr?

Deialog

A: Dych chi'n mynd ar wyliau eleni?
B: Ydyn. Dyn ni'n mynd i **Ffrainc**.
A: Am faint dych chi'n mynd?
B: Am **ddeg diwrnod**.
A: Pryd dych chi'n gadael?
B: Ar y **pedwerydd ar hugain** o **Awst**.
A: Dych chi wedi bod 'na o'r blaen?
B: Ydyn. Buon ni 'na y **llynedd**.
A: Gobeithio y cewch chi amser da.
B: Diolch yn fawr i chi.

Nawr newidiwch y geiriau mewn print bras.
Now change the words in bold print.

Gramadeg

1. Mae ffurf orffennol i 'bod' yn Gymraeg. Defnyddiwch hon pan fyddwch chi'n siarad am gyfnodau penodol o amser yn y gorffennol (yn lle **Ro'n i...**)

*There is a past form for 'bod' in Welsh. Use this when talking about specific periods of time in the past (instead of **Ro'n i...**)*

Bues i	Fues i ddim	Fues i?
Buest ti	Fuest ti ddim	Fuest ti?
Buodd e/hi	Fuodd e/hi ddim	Fuodd e/hi?
Buon ni	Fuon ni ddim	Fuon ni?
Buoch chi	Fuoch chi ddim	Fuoch chi?
Buon nhw	Fuon nhw ddim	Fuon nhw?

2. Gyda dyddiadau, y ffordd hawsa i ysgrifennu yw rhoi'r diwrnod, y mis a'r flwyddyn, heb boeni am gynffon i'r trefnolyn, e.e. 10 Hydref 2005.

With dates, the easiest way to write is to note the day, the month and the year, without bothering with the tail of the ordinal, e.g. 10 Hydref 2005.

Geirfa

cyfan	-	*whole*
Dydd Calan	-	*New Year's Day*
Dydd Ffŵl Ebrill	-	*April Fool's Day*
Dydd Gŵyl Dewi	-	*St David's Day*
Dydd San Padrig	-	*St Patrick's Day*
Dydd Santes Dwynwen	-	*St Dwynwen's Day*
Dydd Sant Ffolant	-	*St Valentine's Day*
erioed	-	*ever, never*
ers achau	-	*for ages*
ers sbel	-	*for a while*
Llydaw	-	*Brittany*
Nos Galan	-	*New Year's Eve*
Noson Tân Gwyllt	-	*Bonfire Night*
Noswyl Nadolig	-	*Christmas Eve*
Portiwgal	-	*Portugal*
Y Swistir	-	*Switzerland*

Ychwanegwch eirfa sy'n berthnasol i chi:
Add vocabulary that's relevant to you:

_____

_____

_____

_____

_____

Cwrs Sylfaen: Uned 29

Nod: Dwedwch hynny eto *Say that again*

1.
Dwedais i fod ti'n iawn	*I said you were right*
Dwedais i y dylet ti fynd	*I said you should go*
Dwedais i y baset ti'n hwyr	*I said you'd be late*
Dwedais i y baset ti'n cael amser da	*I said you'd have a good time*
Mae'n flin gyda fi, beth ddwedaist ti?	*I'm sorry, what did you say?*
Dwedais i y dylet ti fynd	*I said you should go*

A:	Mae hi'n wyntog	*It's windy*
B:	Beth ddwedaist ti?	*What did you say?*
A:	Dwedais i bod hi'n wyntog	*I said it was windy*

Tasg - pwy ddwedodd beth?

Fi:
"Mae hi'n bwrw glaw"

Bryn:
"Dylen ni ddweud rhywbeth"

Lowri:
"Dw i'n deall"

John:
"Maen nhw wedi mynd"

Siân:
"Basai hi'n well mynd yn gynnar"

Nhw:
"Dyn ni'n gweithio heno"

2.

Welais i ddim byd	*I didn't see anything*
Welais i mo'r tŷ	*I didn't see the house*
Glywais i ddim byd	*I didn't hear anything*
Glywais i mo'r rhaglen	*I didn't hear the programme*
Ddeallais i ddim gair	*I didn't understand a word*
Ddeallais mo'r tiwtor	*I didn't understand the tutor*

A: Welaist ti'r coleg?
B: Naddo, welais i mo'r coleg

Tasg - ateb cwestiynau

A: Welaist ti'r coffi?   **B:** _____

A: Glywaist ti'r stori?   **B:** _____

A: Ddeallaist ti'r jôc?   **B:** _____

A: Welaist ti'r tiwtor?   **B:** _____

A: Glywaist ti'r enw?   **B:** _____

A: Welaist ti'r plant?   **B:** _____

A: Ddeallaist ti'r rhaglen?   **B:** _____

A: Glywaist ti Siân?   **B:** _____

3.

Baswn i wrth fy modd	*I'd be very happy / in my element / delighted*
Baset ti wrth dy fodd	*You'd be very happy*
Basai fe wrth ei fodd	*He'd be very happy*
Basai hi wrth ei bodd	*She'd be very happy*
Basen ni wrth ein bodd	*We'd be very happy*
Basech chi wrth eich bodd	*You'd be very happy*
Basen nhw wrth eu bodd	*They'd be very happy*

A: Fasai Siân yn gallu dod yfory?
B: Basai hi wrth ei bodd
A: Beth ddwedaist ti?
B: Dwedais i y basai hi wrth ei bodd!

Tasg - ymarfer 'wrth fy modd'
Bydd eich tiwtor yn rhoi tasg i chi ymarfer y patrwm hwn.
Your tutor will give you a task to practise this pattern.

Darn darllen

Gyda'ch partner, darllenwch y darn hwn.
With your partner, read this passage.

> ### Ymweliad penwythnos
>
> Dros y penwythnos aethon ni i Lundain a buon ni 'na am
> ddau ddiwrnod. Roedd y tywydd yn eitha oer ond doedd hi
> ddim yn bwrw glaw. Cerddon ni am amser hir o gwmpas canol
> y ddinas ddydd Sadwrn, ac mae fy nhraed i'n dost heddiw.
> Roedd y plant wrth eu bodd! Ro'n nhw'n meddwl taw'r peth
> gorau oedd y 'London Eye'. Welais i mo'r amgueddfa - doedd
> dim amser gyda ni. Roedd y gwesty'n ardderchog a'r bwyd
> yn iawn. Basen ni'n mynd eto, tasai arian gyda ni!

Nawr, gwrandewch ar eich tiwtor yn darllen darn arall. Ar ôl gwrando ddwywaith,
trafodwch â'ch partner beth sy'n gyffredin a beth yw'r gwahaniaethau rhwng y ddau.
*Now, listen to your tutor reading another passage. After listening twice, discuss
with your partner what the two have in common and what the differences are.*

Pethau sy'n gyffredin	Gwahaniaethau
Things in common	*Differences*

Deialog 1

A: Ble wyt ti wedi bod?

B: Dwedais i y baswn i'n hwyr.

A: Do, wir?

B: Wel, dwedais i y baswn i'n hwyrach nag arfer.

A: Dw i ddim yn cofio.

B: Dim arna i mae'r bai am hynny.

A: Ti yw'r person mwya styfnig dw i'n nabod.

B: Diolch yn fawr!

Gramadeg

1. Mae **mo...** yn dalfyriad o **ddim o...** Dych chi'n defnyddio hwn o flaen gwrthrych penodol mewn brawddeg negyddol, e.e. Welais i mo'r dyn [y dyn - gwrthrych penodol]. Peidiwch poeni am y patrwm hwn am y tro - bydd hwn yn cael ei drafod yn llawn yn y llyfr cwrs nesa.

> **mo...** *is an abbreviation of* **ddim o...** *You use this before a specific object in a negative sentence, e.g.* Welais i mo'r dyn [y dyn - *specific object]. Don't worry about this for now - it will be fully discussed in the next course book.*

2. **Dwedais i y baset ti'n hwyr**. Dych chi'n defnyddio **y** o flaen ymadroddion yn yr amodol neu'r dyfodol. Os oes ymadrodd yn y presennol neu'r gorffennol yn dilyn, defnyddiwch **bod**.

> *Use* **y** *for the **that** implied in examples like these:* **Dwedais i y baset ti'n hwyr** *(I said [that] you would be late). You use the* **y** *before phrases in the conditional (like* **baswn...** *or* **dylwn...***) or the future. If there is a phrase in the present or past following, use* **bod***.*

Geirfa

amgueddfa (amgueddfeydd) (b)	- *museum(s)*
coleg(au)	- *college(s)*
gwahaniaeth(au)	- *difference(s)*
gwych	- *excellent*
nag arfer	- *than usual*
peth(au) sy'n gyffredin	- *thing(s) in common*
styfnig	- *stubborn*
wrth fy modd	- *delighted, very happy*

Ychwanegwch eirfa sy'n berthnasol i chi:

Add vocabulary that's relevant to you:

_____

_____

_____

_____

Cwrs Sylfaen: Uned 30

Nod: Adolygu ac ymestyn *Revision and extension*

1.

Mae hi'n oerach na ddoe	*It's colder than yesterday*
Mae hi'n fwy gwyntog na ddoe	*It's windier than yesterday*
Mae hi'n dalach na fi	*She's taller than me*
Mae hi'n fwy doniol na fi	*She's more funny than me*
Mae hi'n llai poblogaidd na fi	*She's less popular than me*
Mae hi'n well na fi	*She's better than me*
Mae hi'n waeth na fi	*She's worse than me*

A:	Mae hi'n oer iawn heddiw	*It's very cold today*
B:	Ydy. Mae hi'n oerach na ddoe	*Yes. It's colder than yesterday*

A:	Mae hi'n ddoniol iawn	*She's very funny*
B:	Ydy. Mae hi'n fwy doniol na fi	*Yes. She's funnier than me*

Tasg - cymharu eich hun

Cymharwch eich hun â'r bobl hyn:

e.e.	Einstein:	*Dw i'n dwpach na fe*
	Tony Blair	_____
	Madonna	_____
	Catherine Zeta Jones	_____
	Laurel and Hardy	_____
	Ioan Gruffudd	_____
	Kate Moss	_____

2.

Fi yw'r gorau	*I'm the best*
Fi yw'r gwaetha	*I'm the worst*
Fi yw'r lleia	*I'm the smallest*
Fi yw'r mwya	*I'm the biggest*
Fi yw'r mwya blewog	*I'm the most hairy*
Fi yw'r lleia enwog	*I'm the least famous*

A: Fi yw'r gorau!   *I'm the best*

B: Ie, dw i'n meddwl taw ti yw'r gorau!   *Yes, I think that you're the best!*

B: Nage! Dim ti yw'r gorau!   *No! You're not the best!*

 Tasg - cymharu tri

Cymharwch y bobl neu'r pethau hyn â'i gilydd:

Compare these people or things with each other:

e.e.   Mae Bryn yn dal. Mae Bil yn dalach na Bryn. Ond Bob yw'r tala.

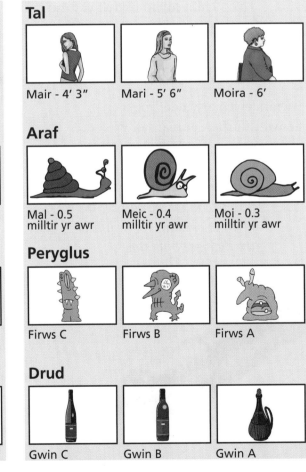

Mawr — Delbert, Dumbo, Danny

Tal — Mair - 4' 3", Mari - 5' 6", Moira - 6'

Bach — Tad, Tod, Ted

Araf — Mal - 0.5 milltir yr awr, Meic - 0.4 milltir yr awr, Moi - 0.3 milltir yr awr

Da — Tîm C, Tîm B, Tîm A

Peryglus — Firws C, Firws B, Firws A

Drwg — Bil, Bert, Basil

Drud — Gwin C, Gwin B, Gwin A

3.

Dw i'n dysgu Cymraeg ers mis Medi	*I've been learning Welsh since September*
Dw i'n dysgu Cymraeg ers blwyddyn	*I've been learning Welsh for a year*
Dw i'n dysgu Cymraeg ers dwy flynedd	*I've been learning Welsh for two years*
Dw i'n adolygu am ugain munud bob nos	*I revise for twenty minutes every night*
Dw i'n gwrando ar y CDs bob nos	*I listen to the CDs every night*
Dechreuais i ddysgu	*I started learning*
...achos bod ffrindiau gyda fi	*... because I have friends*
sy'n siarad Cymraeg	*who speak Welsh*
...achos bod perthnasau Cymraeg gyda fi	*...because I have Welsh relations*
... achos mod i eisiau cael swydd arall	*... because I want another job*
... achos mod i eisiau deall pobl yn y gwaith	*... because I want to understand people at work*
Ers faint dych chi'n dysgu Cymraeg?	*Since when have you been learning Welsh?*
Dych chi'n adolygu?	*Do you revise?*
Pam dechreuoch chi ddysgu Cymraeg?	*Why did you start learning Welsh?*
Dych chi'n mynd i sefyll yr arholiad?	*Are you going to sit the exam?*

Gwrando

Gwrandewch ar y ddeialog a llenwi'r ffurflen hon ar sail yr wybodaeth sy ynddi. Byddwch chi'n clywed y ddeialog dair gwaith.

Listen to the dialogue and fill in this form on the basis of the information in it. You will hear the dialogue three times.

Cyfarfod Cwrs Cymraeg

Ffurflen Gwerthuso
(Evaluation Form)

Enwau'r dysgwyr: _____

Enw'r tiwtor: _____

Ble mae'r dosbarth: _____

Pa mor aml: _____

Pethau da: 1. _____
2. _____

Pethau y gallen nhw wella:
(Things they could improve) 1. _____
2. _____

Cynnydd: _____

Faint sy'n mynd i sefyll yr arholiad: _____

Fasen nhw'n mynd ar gwrs arall: _____

Geirfa

adolygu	-	*to revise*
arholiad	-	*examination*
cymharu	-	*to compare*
disgrifio	-	*to describe*
festri'r capel	-	*chapel vestry*
ffurflen(ni) (b)	-	*form(s)*
gwerthuso	-	*to evaluate*
milltir yr awr (mya)	-	*miles per hour (mph)*
perthynas		
(perthnasau)	-	*relative(s)*
sefyll arholiad	-	*to sit an exam*

Ychwanegwch eirfa sy'n berthnasol i chi:
Add vocabulary that's relevant to you:

_____

_____

_____

_____

 Tasg - 'Mastermind'

Ble gaethoch chi'ch geni a'ch magu?

Disgrifiwch yr ardal ble gaethoch chi eich geni neu'ch magu.

Ble hoffech chi fyw? Pam?

Disgrifiwch yr ardal ble dych chi'n byw nawr.

Dwedwch rywbeth am raglen deledu dda / ffilm dda dych chi
    wedi'i gweld yn ddiweddar.

Beth yw'ch hoff _____ chi? Pam? (e.e. ffilm / raglen / le / lyfr)

Pwy yw'ch hoff _____ chi? Pam? (e.e. actor / actores / ganwr / gantores)

Ble dych chi'n hoffi bwyta allan / siopa? Pam dych chi'n hoffi mynd yno?

Pwy yw'r person hena / ifanca yn eich teulu chi? Dwedwch rywbeth amdano/amdani.

Beth fasech chi'n wneud tasech chi'n ennill y loteri?

Ble hoffech chi fynd ar eich gwyliau? Pam?

Pa un oedd y gwyliau gorau / gwaetha gaethoch chi erioed?

Beth dych chi ddim yn hoffi wneud?

Beth ddylech chi wneud dros y penwythnos?

Beth dych chi'n feddwl o'ch dosbarth Cymraeg / o'ch llyfr cwrs Cymraeg?

Beth yw'r peth gorau / y peth mwya anodd am ddysgu Cymraeg?

Beth dych chi'n feddwl o'r bobl sy'n byw drws nesa i chi?

Beth fyddwch chi'n wneud heno?

Beth o'ch chi'n hoffi wneud pan o'ch chi yn yr ysgol?

Dwedwch rywbeth am y tŷ lle dych chi'n byw nawr.

Rhestr gyfair *Check list*

✔ **Ticiwch beth dych chi'n gallu wneud.** *Tick what you can do.*

☐ Dw i'n gallu cymharu pethau drwy ddweud bod rhywbeth neu rywun
yn fwy … na rhywbeth neu rywun arall (e.e. yn fwy pwysig, yn oerach)
*I can compare things by saying something or someone is more …
than something or someone else (e.g. yn fwy pwysig, yn oerach)*

☐ Dw i'n gallu dweud taw rhywbeth neu rywun yw'r mwya …
(e.e. y mwya pwysig, y gorau)
I can say something or someone is the most … (e.g. y mwya pwysig, y gorau)

☐ Dw i'n gallu dweud ers faint o amser mae rhywbeth wedi digwydd
I can say how long something has been happening

☐ Dw i'n gallu dweud am faint o amser y bues i'n gwneud rhywbeth
I can say for how long I did something

☐ Dw i'n gallu holi ydy rhywun wedi gwneud rhywbeth neu fod yn rhywle erioed
I can ask whether someone has ever done something or ever been somewhere

☐ Dw i'n gallu siarad am ddyddiadau a dweud pryd digwyddodd
rhywbeth/mae rhywbeth yn digwydd
I can talk about dates and say when something happened/happens

☐ Dw i'n gallu dweud mod i wedi dweud rhywbeth
I can say I said something

☐ Dw i'n gallu dweud mod i ddim wedi gwneud rhywbeth yn y gorffennol
I can say I didn't do something in the past

☐ Dw i'n gallu holi wnaeth rhywun arall rywbeth yn y gorffennol
I can ask whether someone else did something in the past

☐ Dw i'n gallu dweud y baswn i wrth fy modd ac y basai rhywun arall wrth ei fodd
I can say I would be delighted and that someone else would be delighted

☐ Dw i'n gallu siarad am fy mhrofiad yn dysgu Cymraeg
I can discuss my experience learning Welsh

Geirfa Graidd - unedau 26–30

adolygu	-	*to revise*
amgueddfa (amgueddfeydd) (b)	-	*museum(s)*
arholiad	-	*examination*
blewog	-	*hairy*
coleg(au)	-	*college(s)*
cyfan	-	*whole*
cymharu	-	*to compare*
deallus	-	*intelligent*
disgrifio	-	*to describe*
Dydd Calan	-	*New Year's Day*
Dydd Ffŵl Ebrill	-	*April Fool's Day*
Dydd Gŵyl Dewi	-	*St David's Day*
Dydd San Padrig	-	*St Patrick's Day*
Dydd Santes Dwynwen	-	*St Dwynwen's Day*
Dydd Sant Ffolant	-	*St Valentine's Day*
erioed	-	*ever, never*
ers achau	-	*for ages*
ers sbel	-	*for a while*
festri'r capel	-	*chapel vestry*
ffurflen(ni) (b)	-	*form(s)*
gorau	-	*best*
gwaetha	-	*worst*
gwahaniaeth(au)	-	*difference(s)*
gwerthuso	-	*to evaluate*
gwych	-	*excellent*
Llydaw	-	*Brittany*

mwyn	-	*mild*
nag arfer	-	*than usual*
Nos Galan	-	*New Year's Eve*
Noson Tân Gwyllt	-	*Bonfire Night*
Noswyl Nadolig	-	*Christmas Eve*
o lawer	-	*by far*
perthynas (perthnasau)	-	*relative(s)*
peth(au) sy'n gyffredin	-	*thing(s) in common*
plentynnaidd	-	*childish*
Portiwgal	-	*Portugal*
pwysig	-	*important*
sefyll arholiad	-	*to sit an exam*
styfnig	-	*stubborn*
swil	-	*shy*
taw	-	*that*
tynnu	-	*to pull*
wrth fy modd	-	*delighted, very happy*
Y Swistir	-	*Switzerland*

Atodiad y Gweithle - Sylfaen

uned 1

1.1 Ar y ffôn

💬 Deialog 1

A: Bore da. Ga i'ch helpu chi?

B: Dw i eisiau siarad â Mr Thomas.

A: Iawn. Beth yw'ch enw chi os gwelwch chi'n dda?

B: Bryn Davies dw i.

A: Un funud, Mr Davies.

B: Diolch yn fawr.

💬 Deialog 2

A: Prynhawn da. Ydy Luned i mewn heddiw?

B: Nac ydy. Pwy sy'n siarad?

A: Tomos ei brawd hi'n sy'n siarad.

B: Oes neges i Luned?

A: Nac oes. Dw i'n gallu ffonio'r rhif symudol.

B: Popeth yn iawn.

Nawr dysgwch y deialogau ar eich cof. Symudwch o gwmpas y dosbarth i'w hymarfer.

> *Now learn the dialogues by heart. Move around the class to practise them.*

📖 1.2 Darllen

Darllenwch y darn yn uchel. Yna, gyda'ch partner, meddyliwch am gwestiynau i'w gofyn i'r person a ddisgrifir yn y darn. Yna, newidiwch y manylion i siarad amdanoch chi eich hun.

> *Read the text aloud. Then, with your partner, think of questions to ask the person described in the text. Then change the details to talk about yourself.*

> Dw i'n gweithio mewn swyddfa yng nghanol y dre. Dw i'n helpu trefnu cyfarfodydd fel arfer. Mae dau ddeg pum diwrnod o wyliau gyda fi y flwyddyn. Dw i'n gweithio gyda chwech o bobl eraill. Dyn ni'n dechrau gwaith am hanner awr wedi wyth ac yn gorffen am bump o'r gloch. Dwi'n hoffi gweithio 'na yn fawr iawn.

1.3 Siarad

Gyda'ch partner, siaradwch am y bobl hyn:

With your partner, talk about these people:

Enw:	Dylan
Gwaith:	Nyrs
Adran:	Henoed
Rhif estyniad:	3795
Gwyliau:	22 diwrnod

Enw:	Mari
Gwaith:	Swyddog Cyngor
Adran:	Marchnata
Rhif estyniad:	7189
Gwyliau:	25 diwrnod

uned*2*

2.1 Geirfa'r gwaith

Work vocabulary

Rhestrwch y pethau sy o'ch cwmpas chi yn y swyddfa /
yn eich gwaith, drwy ychwanegu at y rhestr hon:

*List the things which are around you in the
office / in your work, by adding to this list:*

1. desg
2. cyfrifiadur
3. ffôn
4. cadair
5. pennaeth
6. _____
7. _____
8. _____
9. _____
10. _____

Gyda'ch partner, cerwch drwy'r rhestr gan ymarfer

fy _____ **i**, yna **ei** _____ **e**, ac **ei** _____ **hi**.

With your partner, go through the list, practising

fy _____ **i**, *then* **ei** _____ **e**, *and* **ei** _____ **hi**.

2.2 Teitlau swyddi
Job titles

Gofynnwch y cwestiwn yma i bawb yn y dosbarth, ac ysgrifennu'r atebion ar bapur.
Ask every member of the class the following question, and write the answers on paper.

Beth yw teitl eich swydd chi?

Yna, gyda'ch partner, atebwch y cwestiynau hyn:
Then, with your partner, answer these questions:

Oes rheolwr yn y dosbarth?   e.e. Oes, Eddie. Rheolwr swyddfa yw e.

Oes swyddog yn y dosbarth?   _____

Oes cynorthwyydd yn y dosbarth?   _____

Oes pennaeth yn y dosbarth?   _____

Ychwanegwch eirfa sy'n berthnasol i chi a'r bobl eraill yn y dosbarth:
Add vocabulary relevant to you and the other people in the class:

_____

_____

---

uned 3

3.1 Diwrnod gwaith
Work day

Ysgrifennwch pryd dych chi'n gwneud y pethau hyn yn eich diwrnod gwaith arferol:
Write when you do these things in your usual work day:

	e.e.	cyrraedd	-	am 8.30

Pryd dych chi'n....?

gadael y tŷ	-	_____
cyrraedd y gwaith	-	_____
cael coffi	-	_____
cael cinio	-	_____
dechrau yn y prynhawn	-	_____
cael cyfarfodydd	-	_____
ateb y post	-	_____
cael te yn y prynhawn	-	_____
gorffen gwaith	-	_____
cyrraedd adre	-	_____

Nawr gofynnwch i'ch partner am ei ddiwrnod gwaith e / ei diwrnod gwaith hi.
Now ask your partner about his or her work day.

Ar ôl gorffen, gofynnwch i'ch partner am ei ddiwrnod gwaith
e / ei diwrnod gwaith hi **ddoe** (neu yr wythnos diwetha), e.e.

>*When you have finished, ask your partner about*
>*his or her work day **yesterday** (or last week), e.g.*

>*Beth wnaethoch chi am wyth o'r gloch?*
>*Beth wnaethoch chi am hanner awr wedi naw?*

3.2 Memo

Darllenwch y memo hwn:

>*Read this memo:*

Nawr, darllenwch
y memo yn uchel
i'ch partner a newid y
manylion mewn print bras.

>*Now, read the memo*
>*aloud to your partner and*
>*change the details in bold print.*

> Tomos,
>
> Es i i gyfarfod yn **Aberystwyth** ddoe i drafod y **cynllun newydd**.
> Gofynnodd y **pennaeth** i fi weithio ar y **cynllun**, a derbyniais i'r
> cynnig. Rhaid i fi symud i **Fangor** y flwyddyn nesa. Paid dweud
> wrth neb - dw i ddim wedi dweud wrth **fy ngwraig** i eto!

uned4

4.1 Swyddi dych chi wedi eu gwneud

>*Jobs you have done*

Ar ddarn o bapur, ysgrifennwch deitl swydd dych chi wedi ei gwneud yn y gorffennol.
Bydd y tiwtor yn casglu'r papurau ac yn ysgrifennu'r swyddi ar y bwrdd gwyn/du. Wedyn
bydd rhaid i bawb ddyfalu pwy sydd wedi gwneud pa swyddi, drwy ofyn cwestiynau fel:

>*On a piece of paper, write the title of a job you have done in the past. Your tutor will collect*
>*the papers. Then everyone will have to guess who has done which jobs, by asking questions like:*

>*Wyt ti wedi gweithio*
>*fel gyrrwr?*

>*Wyt ti wedi gweithio*
>*mewn banc?*

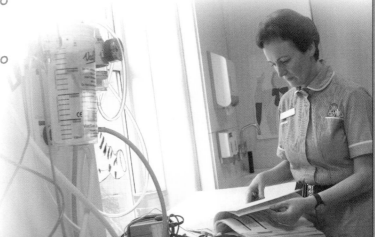

Wedyn holi pawb am y swyddi
maen nhw wedi eu gwneud.

>*Then ask everyone questions*
>*about the jobs they have done.*

4.2 Dyletswyddau

Duties

Rhestrwch beth mae'n rhaid i chi ei wneud yn eich swydd chi,

e.e. ateb cwsmeriaid, helpu yn y stordy, llungopïo, mynd i gyfarfodydd.

Gofynnwch i'ch tiwtor am help gyda'r eirfa sydd ei hangen arnoch chi.

List the things you have to do in your job, e.g. answer customers, help in the storehouse, photocopy, go to meetings. Ask your tutor for help with the vocabulary you need.

1. _____
2. _____
3. _____
5. _____
6. _____

Trafodwch â'ch partner. *Discuss with your partner.*

Gofynnwch:

Ers faint dych chi'n....

4.3 Deialog

A: Wyt ti wedi gorffen y llungopïo?

B: Ydw, mae e'n barod ers oriau.

A: Wyt ti wedi ysgrifennu'r adroddiad?

B: Ydw, mae'r drafft gyda Mr Edwards.

A: Wyt ti wedi cysylltu â'r coleg?

B: Ydw, anfonais i e-bost ddwy awr yn ôl.

A: Wyt ti wedi gwneud popeth?

B: Ydw! Fi sy'n rhedeg y lle 'ma!

Wedi ymarfer mewn parau, ceisiwch gofio rhan B.

After practising in pairs, try to remember part B.

uned5

5.1 Disgrifio'r lle gwaith

Describing the workplace

Mae un adeilad gyda ni	*We have one building*
Mae dau adeilad gyda ni	*We have two buildings*
Mae un ystafell gyda ni	*We have one room*
Mae dwy ystafell gyda ni	*We have two rooms*
Mae tri safle gyda ni	*We have three sites*
Dyn ni'n gweithio o gartre	*We work from home*

Gramadeg

Cofiwch: geiriau unigol ar ôl rhifau yn Gymraeg
> *Remember: singular words after numbers in Welsh*

 Nawr, disgrifiwch eich lle gwaith mewn parau.
> *Now, describe your workplace in pairs.*

5.2 Yn y gweithle
> *In the workplace*

Oes rhywun yn eich lle gwaith sy'n siarad Cymraeg? Gofynnwch iddyn nhw fod yn fentor i chi, a'ch helpu i ddefnyddio'r Gymraeg bob dydd. Un syniad yw neilltuo un amser coffi neu amser cinio i gwrdd ac i sgwrsio yn Gymraeg. Defnyddiwch rai o'r gweithgareddau yn y llyfr cwrs yn sail i'r sgyrsiau hyn, e.e. rhai o'r gemau, deialogau, neu'r cwestiynau 'Mastermind' yn yr unedau adolygu.

> *Is there someone in your workplace who speaks Welsh? Ask him or her to be your mentor and to help you to use your Welsh every day. One idea is to dedicate one coffee break or lunchtime to meet and chat in Welsh. Use some of the activities from the course book as a basis for these conversations, e.g. some of the games, dialogues or the 'Mastermind' questions.*

uned6

 6.1 Nodyn atgoffa
> *Reminder*

Meddyliwch am gynghorion i'r cydweithwyr hyn, e.e.
> *Think of advice for these colleagues, e.g.*

Mae'n hen bryd i ti . . .

Dw i'n hwyr i'r cyfarfod

Dw i eisiau swydd newydd!

Rhaid i fi siarad â'r pennaeth

Mae Mair i ffwrdd yfory

Does dim amser gyda'r merched

Mae John yn darllen y papur eto

6.2 Problemau yn y gwaith
Problems at work

Trafodwch y problemau sy gyda'r bobl hyn. Cynigiwch gynghorion, gan ddechrau â:
Discuss these people's problems. Offer advice, starting with:

Rhaid iddo fe… / Rhaid iddi hi… / Rhaid iddyn nhw…

John	Dyw e ddim yn dod ymlaen gyda'i bennaeth
Mair	Dyw hi ddim yn hapus yn y gwaith
Tomos	Mae e'n teithio yn bell i gyrraedd y swyddfa
Elen	Mae'r rheolwr yn ei bwlio hi
Ysgrifenyddes	Dyw hi ddim yn cael digon o gyflog
Pawb	Does dim digon o le i barcio

6.3 Trafodwch:
Discuss:

Oes problemau gyda chi yn y gwaith?

Ar bwy mae'r bai?

uned 7

7.1 Siarad am eich cydweithwyr
Talking about your colleagues

e.e.   Dw i'n meddwl fod e'n neis iawn.

Beth dych chi'n feddwl o'ch pennaeth?
Beth dych chi'n feddwl o'r bobl yn eich swyddfa chi?
Beth dych chi'n feddwl o bennaeth y cwmni / sefydliad?
Beth dych chi'n feddwl o ….

Dyma rai geiriau i'ch helpu - byddwch yn ofalus!
Here are some words to help you - be careful!

prysur   gweithgar   anodd

da   pwysig   parod i helpu

parod i gwyno   deallus

talentog   da mewn argyfwng

 Geirfa

anodd	- *difficult*
da mewn argyfwng	- *good in a crisis*
deallus	- *intelligent*
gweithgar	- *hard-working*
parod i gwyno	- *a bit of a whinger*
parod i helpu	- *willing to help*
talentog	- *talented*

7.2 Atebwch yn ôl yr enghraifft

Answer according to the example

> **C:** Ydy John yn y swyddfa?
> **A:** Ydy, dw i'n meddwl fod e.

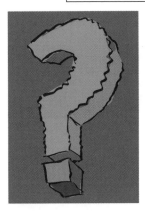

C: Ydy Sandra yn y gwaith?
C: Ydy Morys yn y cyfarfod?
C: Ydy Lowri 'ma heddiw?
C: Ydy pawb arall yn gwybod?
C: Ydy'r merched yn dod i'r cinio?
C: Ydy'r ffeiliau'n barod i fynd?
C: Wyt ti'n gallu mynd ar y cwrs?
C: Wyt ti'n gallu gweithio'n hwyr?
C: Wyt ti'n gallu deall yr adroddiad?
C: Dyn ni'n gallu helpu?

7.3 Holiadur

Questionnaire

Holwch beth yw barn pawb yn y dosbarth am y pethau hyn yn y lle gwaith:

Ask everyone in the class their opinion about these things in the workplace:

Enw	Adeiladau	Y parcio	Y bwyd

uned8

8.1 Swyddi blaenorol

Previous jobs

Gofynnwch i'ch partner: *Ask your partner:*

Ble o'ch chi'n gweithio yn 2000?
Ble o'ch chi'n gweithio yn 1995?
Ble o'ch chi'n gweithio yn 1990?
Ble o'ch chi'n gweithio cyn hynny?

8.2 Sut mae'r swydd wedi newid?

How has the job changed?

1. Nawr, dw i'n rheoli tri o bobl. Ro'n i'n arfer gweithio yn y dderbynfa.
2. Nawr, dw i'n trefnu cyfarfodydd. Ro'n i'n arfer bod yn ysgrifennydd.
3. Nawr, dw i'n gyrru'r fan. Ro'n i'n arfer ateb y ffôn.
4. Nawr, fi yw'r pennaeth. Ro'n i'n arfer gwneud y te.

Meddyliwch am frawddegau tebyg i ddisgrifio eich sefyllfa chi. Trafodwch â'ch partner.

Think of similar sentences to describe your situation. Discuss with your partner.

*uned*9

9.1 Tasgau yn y gweithle

Tasks in the workplace

Rhestrwch y tasgau pob dydd dych chi'n eu gwneud wrth eich gwaith:

List the everyday tasks you do at work:

1. _____
2. _____
3. _____
4. _____
5. _____
6. _____

Gyda'ch partner, trafodwch y tasgau y mae'n well gyda chi eu gwneud.

With your partner, discuss the tasks you prefer doing.

Yna, newidiwch bartneriaid a thrafod beth dych chi ddim yn hoffi wneud.

Then, change partners and discuss what you don't like doing.

9.2 Siarad am offer swyddfa

Talking about office equipment

Pa fath o gyfrifiadur sy gyda chi?	*What sort of computer do you have?*
Pa fath o gar sy gyda chi?	*What sort of car do you have?*
Pa fath o swyddfa sy gyda chi?	*What sort of office do you have?*

Dyn ni'n defnyddio	We use ....
Mae ceir Renault gyda'r cwmni	The company has Renault cars
Mae cynllun agored gyda ni	We have an open plan
Mae ystafell yr un gyda ni	We have a room each

 Gofynnwch y cwestiynau i'ch partner. Gofynnwch i'ch tiwtor am help gyda'r eirfa.
Ask your partner the questions. Ask your tutor for help with the vocabulary.

 ## Geirfa

cynllun agored   -   *open plan*

Ychwanegwch eirfa
sy'n berthnasol i chi:
*Add vocabulary that's
relevant to you:*

9.3 Adrannau

Departments

Adran Gyllid	*Finance Department*
Adran Adnoddau Dynol	*Human Resources Department*
Adran Hyfforddi	*Training Department*
Adran Weinyddol	*Administrative Department*
Adran y Prif Weithredwr	*Chief Executive's Department*
Adran Ddiogelwch	*Security Department*

Oes adrannau eraill yn eich lle gwaith chi?
Are there other departments in your workplace?

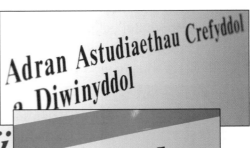

Ym mha fath o adran dych chi'n gweithio?
In what sort of department do you work?
Siaradwch am waith yr adran.
Talk about the work of the department.

uned **10**

 10.1 Holiadur

Questionnaire

Gofynnwch y cwestiwn isod i bawb yn y dosbarth.

Atebwch gan ddweud y flwyddyn yn Gymraeg.

Ask everyone in class the following question. Answer saying the year in Welsh.

Pryd dechreuoch chi weithio yma?

Enw	Dechrau	Enw	Dechrau

Nawr gweithiwch gyda'ch partner, a holi eich gilydd, e.e.:

Now work with your partner and ask, e.g.:

Pwy ddechreuodd yma yn 1997?

10.2 Siarad â'r cyhoedd

Talking to the public

Os yw siarad â'r cyhoedd yn rhan o'ch gwaith, meddyliwch am ymadroddion fasai'n ddefnyddiol i chi. Ychwanegwch at y rhestr hon - bydd eich tiwtor yn helpu.

If talking to the public is part of your work, think of phrases which would be useful to you. Add to this list - your tutor will help.

Ga i'ch helpu chi?

Dw i'n meddwl bod rhaid i chi siarad â rhywun arall.

Dw i eisiau rhai manylion os gwelwch chi'n dda.

Mae'n ddrwg gyda fi mod i ddim wedi ateb y llythyr.

1. _____

2. _____

3. _____

4. _____

uned11

 11.1 Siarad am eich cydweithwyr
Talking about your colleagues

dy ysgrifenyddes di	*your secretary*
dy bennaeth di	*your boss*
dy reolwr llinell di	*your line manager*
dy gynorthwyydd di	*your assistant*

Ble gaeth dy _____ di ei eni?

Ble gaeth dy _____ di ei geni?

Pryd gaeth dy _____ di ei eni?

Pryd gaeth dy _____ di ei geni?

Ble gaeth dy _____ di ei fagu?

Ble gaeth dy _____ di ei magu?

**Ychwanegwch eirfa
sy'n berthnasol i chi:**
  *Add vocabulary that's
  relevant to you:*

_____

_____

Geirfa

cynorthwyydd	-	*assistant*
rheolwr llinell	-	*line manager*

11.2 Llenwi ffurflen
    Form filling
Llenwch y ffurflen isod â manylion dychmygol.
    Fill in the form below with imaginary details.

M A N Y L I O N   Y   C W S M E R

Enw(au) cyntaf: _____

Cyfenw: _____

Cyfeiriad: _____

Rhif ffôn: _____

Dyddiad geni: _____

Man geni: _____

Bydd eich tiwtor yn
gofyn cwestiynau i chi.
  *Your tutor will
  ask you questions.*

uned 12

12.1 Ymarfer
Practice

Gaeth y gwaith ei wneud	*The work was done*
Gaeth y dyn ei ddiswyddo	*The man was made redundant*
Gaeth y prosiect ei orffen	*The project was finished*
Gaeth y llythyr ei anfon	*The letter was sent*
Gaeth y swyddfa ei gwerthu	*The office was sold*
Gaeth y ferch ei dyrchafu	*The girl was promoted*
Beth ddigwyddodd i'r gwaith?	*What happened to the work?*
Beth ddigwyddodd i'r dyn?	*What happened to the man?*
Beth ddigwyddodd i'r swyddfa?	*What happened to the office?*

Gofynnwch y cwestiynau i'ch partner.
Ask your partner the questions.

**Ychwanegwch eirfa
sy'n berthnasol i chi:**
> *Add vocabulary that's
> relevant to you:*

Geirfa

anfon	-	*to send*
diswyddo	-	*to sack*
dyrchafu	-	*to promote*
prosiect	-	*project*

12.2 Cwestiynau am eich lle gwaith chi
Questions about your workplace

Pryd gaeth eich lle gwaith chi ei adeiladu?	*When was your workplace built?*
Pryd gaeth eich swyddfa chi ei pheintio ddiwetha?	*When was your office last painted?*
Pryd gaeth eich cyfrifiadur chi ei brynu?	*When was your computer bought?*
Ble gaeth eich cyfweliad chi ei gynnal?	*Where was your interview held?*

Meddyliwch am gwestiynau eraill sy'n
dechrau â Pryd gaeth... yn ymwneud â'ch lle gwaith.
> *Think of other questions starting with
> Pryd gaeth... involving your workplace.*

 13.1 Deialog

Dialogue

A: Ga i'ch helpu chi os gwelwch chi'n dda?

B: Cewch, gobeithio. Dw i eisiau siarad â rhywun o'r adran gyllid.

A: Does neb 'na ar hyn o bryd, mae'n ddrwg gyda fi.

B: Oes rhywun arall yn gallu delio ag ymholiadau?

A: Nac oes. Wnewch chi ffonio nôl yfory?

B: Gwnaf. Diolch am eich help.

 ## Geirfa

ar hyn o bryd	-	*at the moment*
cwyn (b)	-	*complaint*
delio â	-	*to deal with*
ymholiad	-	*enquiry*

**Ychwanegwch eirfa
sy'n berthnasol i chi:**
*Add vocabulary that's
relevant to you:*

_____

_____

Trafodwch: *Discuss:*

**Sut dych chi'n delio
â chwynion yn y gwaith?**

 13.2 Ysgrifennu nodyn

Writing a note

Gyda'ch partner, ysgrifennwch e-bost at eich rheolwr llinell yn gofyn am ddiwrnod i ffwrdd o'r gwaith yr wythnos nesa. Esboniwch pam. Rhaid i chi ddefnyddio'r geiriau hyn:

*With your partner, write an e-mail to your line manager asking for a day off
from work next week. Explain why. You must use these words:*

diwrnod	gwaith	problem	rhywun	Ga i	deall

Annwyl...

uned 14

14.1 Diffinio swyddi
Defining jobs

Gyda'ch partner, diffiniwch y swyddi isod, e.e.

With your partner, define the jobs below, e.g.

Ysgrifennydd	- rhywun sy'n gwneud y gwaith gweinyddol
Plismon	_____
Athro	_____
Ffermwr	_____
Cynghorwr	_____
Gyrrwr tacsi	_____
Deintydd	_____

Siaradwch am rôl y bobl yn y dosbarth, e.e.

Talk about the rôle of the people in the class, e.g.

A: Pwy yw John?

B: Y person sy'n rhedeg yr adran hyfforddi.

A: Pwy yw Mair?

B: Y person oedd yn gwneud popeth.

14.2 Cwestiynau trafod *Discussion questions*

Pwy sy'n gwneud y coffi yn eich lle gwaith chi?
Pwy sy'n trefnu'r cinio Nadolig yn eich lle gwaith chi?
Pwy sy'n achosi problemau yn eich lle gwaith chi?
Pwy sy'n trwsio'r cyfrifiadur?
Pwy sy'n cloi'r swyddfa?
Pwy sy'n dod i'r gwaith gynta?
Pwy sy'n gadael y gwaith gynta?
Pwy sy'n gofalu am yr arian?

uned**15**

15.1 Disgrifio

Describing

 Darllenwch y disgrifiad hwn yn uchel gyda'ch partner:

Read this description aloud with your partner:

Mae Delia'n gweithio yn y swyddfa ers pum mlynedd. Hi sy'n ateb y ffôn a hi sy'n trefnu bod gyrrwr ar gael. Mae hi'n gweithio o wyth o'r gloch y nos tan dri o'r gloch y bore ar nos Wener a nos Sadwrn. Gaeth hi ei geni a'i magu yn yr ardal, felly mae hi'n gwybod ble mae pob tŷ a stryd. Mae hi'n mwynhau'r gwaith, ond os bydd pobl wedi meddwi yn ffonio, does dim amynedd gyda hi. Mae Tacsis Teresa'n dibynnu arni hi!

 Gyda'ch partner, ysgrifennwch bump cwestiwn am Delia ar bapur sgrap.

With your partner, write five questions about Delia on scrap paper.

15.2 Tabl siarad

Talking table

 Defnyddiwch y tabl hwn i greu cwestiynau, e.e.

Use this table to create questions, e.g.

Beth ddigwyddodd i'r gwaith?   Gaeth e ei orffen.

Pryd gaeth e ei orffen?   Gaeth e ei orffen dros y penwythnos.

Pwy orffennodd y gwaith?   Gaeth e ei orffen dros y penwythnos gan Mr Edwards.

Sut gaeth e ei orffen?   Gaeth e ei orffen dros y penwythnos gan Mr Edwards gyda help ei wraig e.

Beth	ddigwyddodd	Pryd	Pwy	Sut
gwaith	gorffen	dros y penwythnos	Mr Edwards	gyda help ei wraig e
adroddiad	ysgrifennu	neithiwr	Lowri	ar y cyfrifiadur gartre
llythyr	anfon	ddoe	yr ysgrifennydd	drwy'r post mewnol
car	gwerthu	heddiw	y pennaeth	ar y we
gweithiwr	diswyddo	y mis diwetha	Mrs Morgan	ar y ffôn
y swyddfa	cau	y llynedd	y perchennog	drwy lythyr

Geirfa

mewnol	-	*internal*
perchennog	-	*owner*
y we	-	*the web*

**Ychwanegwch eirfa
sy'n berthnasol i chi:**
*Add vocabulary that's
relevant to you:*

_____

_____

 15.3 Cwestiynau
Questions

 ▼ Faint o wyliau sy gyda chi?
Pryd dych chi'n cymryd eich gwyliau?
Pryd mae'ch cinio Nadolig chi?
Ble mae'ch cinio Nadolig chi?
Ble gaeth cinio y llynedd ei gynnal?
Beth dych chi'n hoffi fwyta amser cinio fel arfer?

uned16

 16.1 Cynlluniau'r wythnos nesa
Next week's plans

Ysgrifennwch ble byddwch chi yr wythnos nesa yn y golofn gynta. Yna, holwch eich partner.
Write where you will be next week in the first column. Then, ask your partner.

Ble byddi di dydd Mawrth?

Dydd	Chi	Eich Partner
Dydd Llun		
Dydd Mawrth		
Dydd Mercher		
Dydd Iau		
Dydd Gwener		

16.2 Esgusodion
Excuses

Atebwch yn ôl yr enghraifft:
Answer according to the example:

A: Fyddi di yn y cyfarfod yfory?
B: Na fydda. Dw i'n mynd i Gaerdydd.

A: Fyddi di yn y gwaith yr wythnos nesa?
A: Fyddi di ar y cwrs nesa?
A: Fyddi di ar dy wyliau yfory?
A: Fyddi di'n cwrdd â Mr Jones yfory?
A: Fyddi di'n defnyddio Ystafell 2 y prynhawn 'ma?

uned 17

17.1 Beth wnei di yfory?

What will you do tomorrow?

Dyma restr o bethau i'w gwneud yfory.

Here is a list of things to do tomorrow.

Ffonio > Ffonia i'r pennaeth

Beth wnei di ar ôl ffonio'r pennaeth?

Trafodwch â'ch partner.

Discuss with your partner.

17.2 Deialog

Dialogue

Gyda'ch partner:

A: Beth wnei di os na ddaw'r parsel?

B: Dw i ddim yn siŵr.

A: Beth wnei di os cawn ni gais?

B: Dw i ddim yn gwybod.

A: Beth wnei di os gweli di'r pennaeth?

B: Does dim syniad gyda fi.

A: Beth wnei di os...

B: Paid poeni! Gwna i ngorau, dw i'n addo.

Nawr, ceisiwch gofio'r rhannau.

Now try to remember both parts.

> **I'w gwneud**
> ffonio'r pennaeth
> gwneud y te
> trefnu'r cyfarfod
> e-bostio'r cwsmer
> ysgrifennu'r adroddiad
> talu'r anfoneb
> archebu'r offer

Geirfa

addo	-	*to promise*
anfoneb	-	*invoice*
archebu	-	*to order*
cais	-	*application*
offer	-	*equipment*
syniad	-	*idea*

uned 18

18.1 Ffurfio brawddegau

Forming sentences

Defnyddiwch y tabl i ffurfio brawddegau, yn ôl yr enghraifft:

Use the table to form sentences, according to the example:

A: Beth os bydd hi'n braf?

B: A i yn y car.

Geirfa

ar goll	-	*lost*
ar streic	-	*on strike*
wedi torri	-	*broken*

Beth os...	gwneud?
...bydd hi'n braf?	mynd yn y car
...bydd y pennaeth yn hwyr?	dechrau heb y pennaeth
...bydd y llythyr ar goll?	ffonio'r swyddfa
...bydd y cyfrifiadur wedi torri?	anfon ffacs
...bydd yr adran ar gau?	gwneud y gwaith
...bydd y gyrwyr ar streic?	cerdded i'r gwaith
...bydd y parti nos Iau?	dod yn hwyr dydd Gwener

18.2 Ysgrifennu nodyn

Writing a note

Ysgrifennwch nodyn at gydweithiwr yn trefnu cwrdd. Rhaid i chi ddefnyddio'r ymadroddion canlynol:

Write a note to a colleague arranging to meet. You must use the following phrases:

Wnei di   yfory   bydd   gweld

uned 19

19.1 Pethau y dylech chi wneud

Things you should do

Rhestrwch dri pheth y dylech chi wneud bob dydd yn y gwaith a thri pheth ddylech chi ddim eu gwneud, e.e.

List three things you should do every day at work and three things you shouldn't do, e.g.

ateb yr e-bost   ysgrifennu adroddiad   anfon llythyr

trefnu cyfarfod   bwcio ystafell   ffonio eich cariad yn America

1. _____
2. _____
3. _____

1. _____
2. _____
3. _____

19.2 Cwestiynau

Questions

Mewn grwpiau o dri, trafodwch y cwestiynau yma:

In groups of three, discuss these questions:

	Hoffwn, yn fawr ✔✔✔	Falle ✔✔	Na hoffwn ✔✔✔✔✔✔
Hoffech chi weithio rhan amser?			
Hoffech chi gael amser i ffwrdd i ddysgu Cymraeg?			
Hoffech chi gael swyddfa fwy?			
Hoffech chi beidio rhannu swyddfa?			
Hoffech chi gael pennaeth newydd?			
Hoffech chi gael swydd arall?			
Hoffech chi gael rhagor o wyliau?			
Hoffech chi gael ffreutur newydd?			
Hoffech chi ymddeol yn gynnar?			

Geirfa

| ffreutur | - | *refectory* |
| rhannu | - | *to share* |

**Ychwanegwch eirfa
sy'n berthnasol i chi:**
*Add vocabulary that's
relevant to you:*

_____

_____

Sut hoffech chi newid eich lle gwaith?

uned**20**

 20.1 Deialog
Dialogue

A: Dwyt ti ddim wedi gofyn i'r staff.
B: Nac ydw. Dylwn i fod wedi gwneud.
A: Dwyt ti ddim wedi trefnu'r peth yn iawn.
B: Dw i'n gwybod. Dylwn i fod wedi dechrau
        fisoedd yn ôl.
A: Dwyt ti ddim wedi cael yr arian i wneud hyn.
B: Iawn eto. Dylwn i fod wedi gofyn i ti wneud
        y cwbl, mae'n amlwg.

 Geirfa

amlwg	- *obvious*
cwbwl	- *everything*
fisoedd yn ôl	- *months ago*
trefnu	- *to organise*

Ceisiwch ddysgu'r ddeialog ar eich cof.
Try to remember the dialogue by heart.

 20.2 Siarad am y llun
Gyda'ch partner, trafodwch y lluniau. Beth sy'n
digwydd yn y llun? Beth ddylai'r bobl wneud?
*With your partner, discuss the pictures. What's
happening in the picture? What should the people do?*

20.3 Geirfa *Vocabulary*
Ar sgrap o bapur, ysgrifennwch eiriau sy'n berthnasol i'ch lle gwaith
chi. Bydd eich tiwtor yn dweud wrthoch chi beth i'w wneud nesa.
*On a piece of scrap paper, write words which are relevant to
your workplace. Your tutor will tell you what to do next.*

 20.4 Syniad da
Ysgrifennwch nodiadau atoch chi eich hun yn Gymraeg ar *post-its*
a'u rhoi o gwmpas eich desg a'ch swyddfa. Mae hyn yn ffordd dda o adolygu!
*Write notes to yourself in Welsh on post-its and put them around your
desk and office. A good way to revise!*

uned21

 21.1 Baswn i'n....

Baswn i'n...

Rhestrwch y pethau y basech chi'n gwneud tasech chi'n bennaeth eich lle gwaith chi, e.e.

List the things that you would do if you were the head of your workplace, e.g.

Baswn i'n diswyddo pawb

Baswn i'n rhoi codiad cyflog i bawb

Baswn i'n symud y swyddfa

Baswn i'n ehangu

Baswn i'n newid cyfeiriad

Baswn i'n cael rhagor o staff

Geirfa

codiad	-	*increase*
cyflog	-	*pay / wage*
ehangu	-	*to expand*
pwyllgor	-	*committee*

Ychwanegwch eirfa sy'n berthnasol i chi:

Add vocabulary that's relevant to you:

_____

_____

 21.2 Tasgau diflas

Boring tasks

Rhowch y rhestr hon o dasgau yn y drefn y basai'n well gyda chi eu gwneud.

Trafodwch â'ch partner.

Put this list of tasks in the order you'd prefer to do them. Discuss with your partner.

Y rhestr	Eich rhestr chi
Gwneud y te	1. _____
Gwagio'r bin sbwriel	2. _____
Llungopïo	3. _____
E-bostio	4. _____
Ateb cwynion	5. _____
Bod mewn pwyllgor	6. _____
Siarad o flaen grŵp	7. _____
Cyfieithu rhywbeth	8. _____
Diswyddo rhywun arall	9. _____
Gweithio dros y penwythnos	10. _____

uned 22

22.1 Cwestiynau

Trafodwch mewn grŵp o dri:

Beth fasech chi'n wneud tasech chi'n cael eich diswyddo?
Beth fasech chi'n wneud tasech chi'n cael gwyliau yfory?
Beth fasech chi'n wneud tasech chi'n cael cynnig swydd arall?
Beth fasech chi'n wneud tasai eich
    cynorthwyydd / cydweithiwr yn gadael?
Beth fasech chi'n wneud tasech chi'n gweld
    cydweithiwr yn gwneud rhywbeth o'i le?

22.2 Holiadur

Gofynnwch i bump o bobl
yn y gwaith neu'r dosbarth.

Geirfa

cynnig	-	*offer*
dyrchafiad	-	*promotion*
galw am hynny	-	*to call for that*
streic	-	*strike*
undeb	-	*union*
ymddeol	-	*to retire*

Enw	Fasech chi'n ymddeol yn gynnar, tasech chi'n cael cynnig?	Fasech chi'n cerdded i'r gwaith tasai hi'n braf?	Fasech chi'n mynd ar streic, tasai'r undeb yn galw am hynny?	Fasech chi'n gwneud unrhyw beth i gael dyrchafiad?
1.				
2.				
3.				
4.				
5.				

uned 23

Geirfa

agosa	-	*nearest*
campfa (b)	-	*gym*

**Ychwanegwch eirfa
sy'n berthnasol i chi:**

*Add vocabulary that's
relevant to you:*

_____

_____

_____

23.1 Pa mor bell...

Gyda'ch partner trafodwch (*discuss*)
pa mor bell yw'ch lle gwaith chi o'r....

swyddfa bost agosa
siop fwyd agosa
banc agosa
parc agosa
gampfa agosa
gwesty agosa
coleg agosa
swyddfa heddlu agosa

23.2 Disgrifio'r swyddfa

Dyw hi ddim yn fawr iawn	*It's not very big*
Mae hi'n anniben	*It's untidy*
Mae hi'n daclus	*It's tidy*
Mae hi'n llawn ffeiliau	*It's full of files*
Mae e'n enfawr	*It's huge*
Dyw e ddim yn gysurus iawn	*It's not very comfortable*
Pa fath o swyddfa dych chi'n gweithio ynddi?	*What kind of office do you work in?*
Pa fath o le dych chi'n gweithio ynddo?	*What kind of place do you work in?*

Gofynnwch i'ch tiwtor os oes angen geirfa ychwanegol.
Ask your tutor if you need extra vocabulary.

23.3 Iechyd a diogelwch
Health and safety

Mewn grwpiau o dri, trafodwch y cwestiynau hyn:

Pa mor ddiogel yw'ch lle gwaith chi?
Pa mor aml mae problemau'n codi?
Pa mor aml mae rhywun yn mynd yn dost yn y gwaith?
Oes tân wedi bod yn y lle gwaith erioed?
Oes rhywun wedi bod yn dost erioed?
Fasech chi'n gwybod sut i helpu rhywun sy'n dost?

uned24

24.1 Deialog

A: Dyn ni'n mynd i benodi Sylfia?
B: Dyw hi ddim mor brofiadol â'r lleill.
A: Nac ydy. Ond mae hi'n barod i ddysgu.
B: Does dim cymaint o gymwysterau gyda hi â'r lleill.
A: Nac oes. Ond nid cymhwyster yw popeth.
B: Ond mae hi'n fodlon gweithio oriau hir.
A: Ydy hi? Hyd yn oed gyda'r nos?
B: Ydy, mae hi mor hyblyg â neb arall.

Nawr, ceisiwch gofio eich rhan chi yn y ddeialog.
Now try to memorise your part of the dialogue.

Geirfa

bodlon	- *willing*
cymhwyster (cymwysterau)	- *qualification(s)*
hyblyg	- *flexible*
hyd yn oed	- *even*
penodi	- *to appoint*
profiadol	- *experienced*
y lleill	- *the others*

24.2 Cymharu pobl

Ffurfiwch frawddegau gan ddefnyddio'r sbardunau isod:

Form sentences using the prompts below:

e.e. John   gweithgar   Jane
Mae John mor weithgar â Jane.

Tom	+	profiadol	+	Terry
Gwen	+	hyblyg	+	Mari
y pennaeth	+	gweithgar	+	swyddog
y dynion	+	diog	+	y merched
fi	+	deallus	+	pawb arall

uned25

25.1 Cyfweld

Tasech chi'n cyfweld un o'r bobl hyn ar gyfer swydd 'Swyddog Hyfforddi' yn eich lle gwaith chi, pwy fasech chi'n ddewis? Pam? Trafodwch mewn grwpiau o dri.

If you were interviewing these people for the job of 'Training Officer' in your workplace, who would you choose? Why? Discuss in groups of three.

CV1

Enw:	John James
Oedran:	59
Profiad:	Wedi gweithio mewn swyddfa debyg ers 10 mlynedd; wedi gweithio i gwmni cynhyrchu ac yn y byd addysg.
Cymwysterau:	Dim gradd; NVQs mewn rheolaeth.
Cefndir:	O'r ardal. Siarad Cymraeg yn rhugl.
Diddordebau:	Rygbi, gwneud croeseiriau, teithio.

CV2

Enw:	Ann O'Connor
Oedran:	34
Profiad:	Dwy flynedd fel swyddog hyfforddi yn Llundain.
Cymwysterau:	Gradd mewn Seicoleg
Cefndir:	Wedi dysgu Cymraeg
Diddordebau:	Cathod, dysgu ieithoedd, teithio.

CV3

Enw:	Melissa Jenkinson
Oedran:	23
Profiad:	Wedi gweithio fel Swyddog Personél
Cymwysterau:	Gradd yn y Gyfraith
Cefndir:	Wedi bod i ffwrdd - cyfnod mamolaeth
Diddordebau:	Darllen, edrych ar ôl y plant (tri ohonyn nhw), gwrando ar y radio.

Ychwanegwch eirfa sy'n berthnasol i chi:

Add vocabulary that's relevant to you:

_____

_____

_____

Geirfa

croesair (croeseiriau)	-	*crossword(s)*
cwmni cynhyrchu	-	*production company*
cyfnod	-	*period, time*
gradd	-	*degree*
mamolaeth	-	*maternity*
rheolaeth	-	*management*
seicoleg	-	*psychology*
tebyg	-	*similar*
y gyfraith	-	*the law*

25.2 Syniad da

Yn ystod amser cinio, beth am edrych ar wefannau sy'n helpu dysgwyr (mae llawer ohonyn nhw)? Beth am drefnu bod dau neu dri ohonoch chi'n dod i edrych ar y gwefannau hyn yr un pryd neu gyda rhywun sy'n siarad Cymraeg yn rhugl? Dyma rai awgrymiadau:

During the lunch break, what about looking at websites which help learners (there are lots of them)? Think about arranging for two or three of you to come to look at these websites at the same time or with someone who speaks Welsh fluently. Here are some suggestions:

www.bbc.co.uk/cymru   **www.s4c.co.uk**

uned26

26.1 Cymharu llefydd

Sut mae gweithio yn Aberystwyth yn cymharu â'r llefydd hyn?
Atebwch yn ôl yr enghraifft:

Answer according to the example:

prysur   > Tregaron =
                            Mae e'n fwy prysur na Thregaron
                            Mae e'n llai prysur na _____

llai   > Caerdydd   = _____

tawel   > Abertawe   = _____

diflas   > Pontypridd = _____

canolog   > Conwy   = _____

pell   > Dolgellau = _____

gwyntog   > Prestatyn = _____

> Cymharwch lefydd eraill â lle dych chi'n gweithio.

26.2 Tasgau dych chi'n dda am eu gwneud

Rhowch y rhestr hon yn y drefn iawn - y pethau dych chi'n dda am eu gwneud yn gynta:

Put this list in the right order - the things you're good at doing first:

Dw i'n dda iawn am... trefnu pethau   _____

                       ysgrifennu adroddiadau   _____

                       siarad yn gyhoeddus   _____

                       delio â phobl   _____

                       defnyddio'r cyfrifiadur   _____

                       cofio enwau pobl   _____

                       gweithio dan bwysau   _____

                       Cofiwch y treiglad meddal ar ôl **am**!

Geirfa

cyhoeddus - *public*
dan bwysau - *under pressure*

Ychwanegwch eirfa sy'n berthnasol i chi:
Add vocabulary that's relevant to you:

_____

_____

_____

Gyda'ch partner, trafodwch pwy sy orau am wneud y tasgau uchod, e.e.
With your partner, discuss who's best at doing the above tasks, e.g.

Dw i'n well na ti am weithio dan bwysau.

uned 27

27.1 Pobl yn y gwaith

Trafodwch y bobl a enwir drwy ffurfio brawddegau yn ôl yr enghraifft:
Discuss the people named by making up sentences according to the example given:

e.e. Tom + gweithgar = **A:** Beth wyt ti'n feddwl o Tom?
B: Tom yw'r mwya gweithgar yn y swyddfa 'ma.

Delyth + talentog   Luciano + tew
Edwin + twp   Dai + cyfoethog
Dino + doniol   Y pennaeth + diog
Gwen + poblogaidd   Ned + plentynnaidd

27.2 Archebu offer
Ordering equipment

Gyda'ch partner, trafodwch, e.e.

I brynu papur A4, mae Offer da yn ddrutach na Gwaith Gwych.

I brynu ffeiliau, Gwaith Gwych yw'r druta.

Offer da

Papur A4:	£9 y bocs
Amlenni:	£17 am 50
Beiros:	30c yr un
Inc i'r argraffydd:	£46 am un 'cartridge'
Clipiau papur:	£7 y bocs
Ffeiliau:	£4.75 yr un

Gwaith Gwych

Papur A4:	£8 y bocs
Amlenni:	£15 am 50
Beiros:	40c yr un
Inc i'r argraffydd:	£49 am un 'cartridge'
Clipiau papur:	£5.50 y bocs
Ffeiliau:	£6.30 yr un

Stwff Swyddfa

Papur A4:	£10 y bocs
Amlenni:	£19.50 am 50
Beiros:	40c yr un
Inc i'r argraffydd:	£51 am un 'cartridge'
Clipiau papur:	£5.50 y bocs
Ffeiliau:	£4.20 yr un

uned 28

28.1 Ers faint...

Mewn grwpiau o dri, trafodwch y cwestiynau yma:

Ers faint dych chi'n gweithio 'ma?
Ers faint dych chi yn yr adran 'ma?
Ers faint dych chi ar gynllun pensiwn?
Ers faint dych chi'n defnyddio cyfrifiadur?

Meddyliwch am ragor o gwestiynau yn dechrau gyda **Ers faint...**
Think of more questions starting with **Ers faint...**

28.2 Dyddiadur

Gyda'ch partner, trafodwch y dyddiadau yma,
e.e. **Pryd mae'r cyfarfod staff?**

cyfarfod staff	-	1/11/06
cyfweliad	-	7/11/06
dyddiad cau i'r cais	-	14/11/06
pwyllgor llywio	-	21/11/06
cinio Nadolig	-	18/12/06
cynhadledd	-	5-6/1/07
cyfarfod mewnol	-	15/1/07
gwyliau	-	20-28/3/07

Geirfa

cais - *application*
cynhadledd (b) - *conference*
pwyllgor llywio - *steering committee*

Ychwanegwch eirfa sy'n berthnasol i chi:
Add vocabulary that's relevant to you:

uned29

29.1 Diwrnod ofnadwy yn y gwaith

Partner 1

Darllenwch y darn yma. Bydd eich partner yn darllen y darn arall (ar dudalen 178).
Ar ôl gorffen, trafodwch â'ch partner, yn Gymraeg, beth oedd y gwahaniaethau
rhwng y ddau ddarn, heb edrych ar y llyfr cwrs.

> *Read this passage. Your partner will read the other passage (on page 178).*
> *When you have finished, discuss with your partner, in Welsh, the differences*
> *between the two passages, without looking at the course book.*

Ddoe oedd y diwrnod gwaetha yn y gwaith erioed. Roedd y traffig yn ofnadwy
ar y ffordd i mewn, felly ro'n i'n hwyr. Gaeth y cyfarfod am ddeg o'r gloch ei ohirio.
Gaeth y cyfarfod arall am ddeuddeg ei symud. Yn anffodus, roedd tri o bobl wedi dod
i'r cyfarfod hwnnw, ac roedd rhaid i fi ymddiheuro. Dylai Meirion fod wedi dweud
wrthyn nhw, ond arna i oedd y bai, wrth
gwrs. Dwedais i wrth y pennaeth y baswn
i'n hoffi cael diwrnod bant ar y nawfed,
ond gwrthododd e! Dw i'n mynd i chwilio
am swydd arall, dw i'n credu.

 Geirfa

diwrnod bant	-	*day off*
gohirio	-	*to postpone*
gwrthod	-	*to refuse*
ymddiheuro	-	*to apologise*

29.2 Hoff bethau yn y gwaith

Gofynnwch i 6 person: Beth dych chi'n hoffi fwya am eich gwaith chi?
Rhaid ateb: Dw i wrth fy modd yn....

Enw	Beth

Nawr gyda'ch partner, siaradwch am y bobl yn yr holiadur,
e.e. **Mae John wrth ei fodd yn trefnu pethau.**

Atodiad y Gweithle - Sylfaen: Uned 30

uned30

30.1 Siarad am 3 munud

Mewn grwpiau o 3, dewiswch un o'r testunau (*subjects*) yma (pawb yn y grŵp i ddewis testun gwahanol). Rhaid i chi siarad am y testun hwnnw am 3 munud wedyn.

A: Y peth gorau am weithio yma

B: Y peth gwaetha am weithio yma

C: Ar ôl i fi ymddeol...

Ch: Problemau traffig wrth deithio i'r gwaith

D: Baswn i'n mynd ar streic, tasai...

Dd: Cinio Nadolig y gwaith

E: Cwrs Cymraeg yn y gwaith

30.2 Geirfa

Ar ddarn o bapur, ysgrifennwch yr eirfa sy'n berthnasol i'ch gwaith chi, yn Saesneg. Bydd eich tiwtor yn casglu'r papurau wedyn a'u rhoi fel prawf i rywun arall yn y dosbarth.

> *On a piece of paper, write the vocabulary relevant to your work, in English. Your tutor will then collect the pieces of paper and hand them to someone else as a test.*

30.3 Mastermind

Gofynnwch y cwestiynau yma i'ch gilydd:

Pryd dych chi'n cyrraedd y gwaith fel arfer?

Pryd dych chi'n gorffen?

Beth dych chi'n feddwl o'ch rheolwr llinell chi?

Ble o'ch chi'n gweithio yn 1995?

Ble o'ch chi'n gweithio yn 1985?

Pa fath o swyddfa sy gyda chi?

Sut mae dysgu Cymraeg wedi eich helpu chi yn y gwaith?

Partner 2

Darllenwch y darn yma. Bydd eich partner yn darllen y darn arall (ar dudalen 177). Ar ôl gorffen, trafodwch â'ch partner, yn Gymraeg, beth oedd y gwahaniaethau rhwng y ddau ddarn, heb edrych ar y llyfr cwrs.

> *Read this passage. Your partner will read the other passage (on page 177). When you have finished, discuss with your partner, in Welsh, the differences between the two passages, without looking at the course book.*

Ddoe oedd y diwrnod gwaetha yn y gwaith erioed. Roedd y tywydd yn ofnadwy ar y ffordd i mewn, felly ro'n i'n hwyr. Gaeth y cyfarfod am naw o'r gloch ei ohirio. Gaeth y cyfarfod arall am dri ei symud. Yn anffodus, roedd un person wedi dod i'r cyfarfod hwnnw, ac roedd rhaid i fi ymddiheuro. Dylai'r pennaeth fod wedi dweud wrthyn nhw, ond arna i oedd y bai, wrth gwrs. Dwedais i wrth y swyddog y baswn i'n hoffi cael diwrnod bant ar y degfed, ond gwrthododd e! Dw i'n mynd i weithio mewn adran arall, dw i'n credu.

 Geirfa

diwrnod bant	-	*day off*
gohirio	-	*to postpone*
gwrthod	-	*to refuse*
ymddiheuro	-	*to apologise*

Atodiad i Rieni

Gartre gyda'r plant – Nodyn i'r rhieni *At home with the children – A note for parents*

Here are a few ideas to help you and your pre-school or reception class children learn some Welsh together.

- Make it fun. Children learn by doing the things they enjoy. That means your child can learn Welsh by hearing and seeing the language as he or she takes part in enjoyable activities.

- Make it a part of your routine. Try to do some Welsh every day.

- Make sure you enjoy it too. Children are very good at sensing your mood. If you're having a bad day, it makes sense to wait for a calmer moment before tackling a new game or activity. Also, if your child is not well, tired or just not co-operating, wait for a better time.

- Be prepared to repeat the games and activities. Repetition is essential for language learning. Also, children enjoy repetition and it helps them gain confidence. As you work through the course, introducing new games, remember also to re-use activities from previous weeks. If you have the first book in this series, *Cwrs Mynediad*, you can also re-use those activities.

- Be prepared to sing! Even if you are convinced you are tone deaf, both you and your child will benefit from the repetition and fun that come from singing together. The rhythm of the songs helps with the rhythm of spoken language and the repetition helps you to remember.

- Be patient. Your child may respond to the games and activities in English, not say anything at all, or use the objects or pictures to play a completely different game. Don't worry. If your child responds in English, repeat his/her answers in Welsh. If he/she responds by taking part in the game but does not say anything, say the answers for him/her in Welsh. If a completely new game develops, stick with it, saying as much as you can in Welsh. **As long as your child is hearing and seeing Welsh while having a good time and enjoying your company, he/she will be learning.**

- Be confident. After all, if your child can speak English, you have already helped him/her to learn one language.

Please note

The games and activities are numbered and related to the associated units in the main part of the course book, e.g. 3.1 is the first activity related to Uned 3.

Atodiad i Rieni - Sylfaen

uned1

1.1 Siarad am y plant

Cysylltwch yr ateb â'r cwestiwn:

Connect the answer to the question:

Cwestiwn	Ateb
Beth yw ei enw e/ei henw hi?	Mae e/hi'n hoffi chwarae lego.
Beth yw ei oedran e/ei hoedran hi?	Gaeth e/hi Weetabix i frecwast heddiw.
Beth mae e/hi'n hoffi wneud?	Siôn/Rhian yw ei enw e/ei henw hi.
Oes hoff degan gyda fe/hi?	Ydy, mae e/hi'n mynd i Gylch Brynaber.
Beth gaeth e/hi i frecwast heddiw?	Mae e/hi'n dair oed.
Ydy e/hi'n mynd i'r cylch meithrin?	Do, gaeth e/hi amser da.
Pryd aeth e/hi i'r cylch ddiwetha?	Roedd y plant yn hapus.
Sut oedd y plant?	Oes, doli glwt yw ei hoff degan e/hi.
Gaeth e/hi amser da?	Aeth e/hi i'r cylch ddoe.

Ar ôl ymarfer y cwestiynau a'r atebion gyda'r tiwtor a gyda'ch partner, rhowch fanylion eich plentyn yn y golofn **Fy mhlentyn i** ac wedyn gofynnwch i dri o bobl yn y dosbarth am eu plant nhw a llenwi'r colofnau **Plentyn person 1**, **Plentyn person 2**, **Plentyn person 3**.

*After practising the questions and answers with the tutor and with your partner, put your child's details in the **Fy mhlentyn i** column and then ask three people in the class about their children to fill the **Plentyn person 1**, **Plentyn person 2**, **Plentyn person 3** columns.*

	Fy mhlentyn i	Plentyn person 1	Plentyn person 2	Plentyn person 3
Enw:				
Oedran:				
Diddordebau:				
Hoff degan:				
Brecwast:				
Cylch Meithrin:				
Yn y Cylch ddiwetha:				
Plant:				
Amser da:				

Gartre gyda'r plant

Gwnewch lyfr o'r enw *Ffrindiau* gyda'ch plentyn. Gwnewch dyllau mewn tri neu bedwar darn o bapur a rhoi cortyn neu ruban drwy'r tyllau i wneud llyfr. Helpwch eich plentyn i ludio ffotograff o un o'i ffrindiau ar bob tudalen. Ysgrifennwch ddwy neu dair brawddeg, fel y rhai ar dudalen 180, o dan bob ffotograff.

> *Make a book called* Ffrindiau *with your child. Make holes in three or four sheets of paper and put string or ribbon through the holes to make a book. Help your child to paste a photo of one of his/her friends onto each page. Write two or three sentences, like the ones on page 180, under each photo.*

Cofiwch ddefnyddio **llythrennau bach** bob tro dych chi'n ysgrifennu rhywbeth ar gyfer eich plentyn. Defnyddiwch briflythrennau ar ddechrau brawddeg neu enw.

> *Remember to use small letters every time you write something for your child. Use capital letters at the start of a sentence or name.*

1.2 Cwestiynau

Gyda'ch partner, ceisiwch newid y geiriau sy mewn **llythrennau tywyll**, i chi gael defnyddio'r cwestiynau ar adegau eraill yn ystod y dydd.

> *With your partner, try changing the words in bold letters, so that you can use the questions at other times during the day.*

> Oes **hances boced gyda ti**?
> Dych chi'n hoffi **sudd oren**?
> Ydy hi'n **iawn** nawr?
> Oedd hi'n **chwarae gyda ti**?
> Fydd hi'n **iawn fel hyn**?
> Ga i **helpu**?

 Gartre gyda'r plant

Meddyliwch am bedwar neu bum cwestiwn i'w gofyn i'ch plentyn bob dydd. I'ch helpu, gallech roi'r cwestiynau ar gardiau a'u gosod mewn lleoedd addas o gwmpas y tŷ, e.e. **Wyt ti'n barod?** ar y drws ffrynt, i chi gofio ei ofyn cyn gadael y tŷ.

> *Think of four or five questions to ask your child every day. To help you, you could write the questions on cards and place them in suitable places around the house, e.g.* **Wyt ti'n barod?** *on the front door, so that you remember to ask before leaving the house.*

Byddwch yn amyneddgar. Mae'n bosib na fydd eich plentyn yn ateb y cwestiynau o gwbl, neu efallai y bydd e/hi'n ateb yn Saesneg. Os yw hynny'n digwydd, dwedwch yr ateb Cymraeg eich hunan.

> *Be patient. It's possible your child won't answer the questions at all, or perhaps he/she will answer in English. If that happens, say the answer in Welsh yourself.*

1.3 Plentyn pwy?

Bydd y tiwtor yn casglu llyfrau pawb a'u hailddosbarthu fel bod pawb yn derbyn llyfr rhywun. Bydd pawb yn cymryd tro i ddefnyddio gwybodaeth o'r golofn **Fy mhlentyn i** ar dudalen 180, i ddisgrifio plentyn rhywun arall, e.e. Aled yw e. Mae e'n ddwy oed …. Bydd aelodau eraill y dosbarth yn dyfalu plentyn pwy sy'n cael ei ddisgrifio.

> *The tutor will collect everybody's book and redistribute so that everyone receives someone else's book. Everyone in turn will use information from the* **Fy mhlentyn i** *column in the grid on page 180 to describe someone else's child, e.g. Aled yw e. Mae e'n ddwy oed … The other class members will guess whose child is being described.*

Geirfa

doli glwt	-	*rag doll*
hances boced	-	*handkerchief*

uned**2**

2.1 Fy mhethau i, dy bethau di - Chwarae dis

My things, your things – Playing with dice

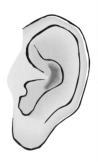

		Fi	**Ti**
1.	trwyn	fy nhrwyn i	dy drwyn di
2.	clust	fy nghlust i	dy glust di
3.	pen	fy mhen i	dy ben di
4.	braich	fy mraich i	dy fraich di
5.	gwallt	fy ngwallt i	dy wallt di
6.	dwylo	fy nwylo i	dy ddwylo di

Gyda'ch partner, cymerwch dro i daflu dis i ddewis rhan o'r corff o'r rhestr uchod, e.e. 1. trwyn. Dwedwch 'Fy nhrwyn i, dy drwyn di' wrth bwyntio at eich trwyn chi ac wedyn at drwyn eich partner.

> *With your partner, take turns to throw a dice to choose a part of the body from the above list, e.g. 1. trwyn. Say 'Fy nhrwyn i, dy drwyn di', pointing to your own nose and then to your partner's nose.*

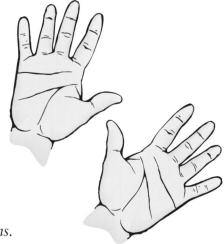

Ar ôl ychydig, rhowch ddarn o bapur dros y colofnau Fi a Ti a chwarae eto gan geisio cofio'r treigladau.

> *After a while, put a piece of paper over the* Fi *and* Ti *columns and play again, trying to remember the mutations.*

Gartre gyda'r plant

Pan fydd eich plentyn yn y bath, rhowch hylif ewyn yn y dŵr. Cymerwch dipyn bach o ewyn ar eich bys a'i roi ar eich trwyn gan ddweud 'Fy nhrwyn i' ac wedyn rhoi tipyn bach ar drwyn eich plentyn gan ddweud 'Dy drwyn di'. Ailadroddwch gyda rhannau eraill yr wyneb a'r corff.

> *When your child is in the bath, put bubble liquid in the water. Take a little bit of foam on your finger and put it on your nose, saying* 'Fy nhrwyn i' *and then put a little bit on your child's nose saying* 'Dy drwyn di'. *Repeat with other parts of the face and body.*

2.2 Ei bethau e, ei phethau hi

	ei _____ e	ei _____ hi
trwyn	ei drwyn e	ei thrwyn hi
clust	ei glust e	ei chlust hi
pen	ei ben e	ei phen hi
braich	ei fraich e	ei braich hi
gwallt	ei wallt e	ei gwallt hi
dwylo	ei ddwylo e	ei dwylo hi
llyfr	ei lyfr e	ei llyfr hi
mam	ei fam e	ei mam hi
rhieni	ei rieni e	ei rhieni hi

Partner A i ddweud 'ei wallt e'. Partner B i bwyntio at y rhan addas o'r lluniau. Ewch ymlaen i ymarfer pethau ar y ddwy restr dreigledig uchod, gyda'r partneriaid yn cymryd tro i enwi rhywbeth a'r llall i bwyntio.

> *Partner A to say* 'ei wallt e'. *Partner B to point at a suitable part of the pictures. Go on to practise things on the two mutated lists above, with the partners in turns naming something and the other pointing.*

Defnyddiwch y termau yn y rhestrau uchod i labelu'r pethau perthnasol ar y lluniau.
> *Use the terms in the above lists to label the appropriate things on the pictures.*

Gartre gyda'r plant

Defnyddiwch y termau hyn wrth dynnu lluniau, neu wrth chwarae gyda'r doliau a'r tedis.

Use these terms as you draw pictures, or as you play with dolls and teddies.

2.3 Eich pethau chi

Gyda'ch partner, llenwch y bylchau gyda geiriau lluosog i greu chwe brawddeg fydd yn ddefnyddiol wrth chwilio am bethau neu dacluso'r tŷ gyda'r plant i gyd.

With your partner, fill the gaps with plural words to create three sentences which will be useful as you look for things or tidy the house with all the children.

Ble mae eich cotiau chi?

Does dim treiglad – hwrê!

Ble mae eich _____ chi ?

Ble mae eich _____ chi ?

Ewch i nôl eich _____ chi.

Ewch i nôl eich _____ chi.

Rhowch eich _____ chi yn y _____

Rhowch eich _____ chi yn y _____

 Cân

Tôn - 'Three Blind Mice'

Fy mhen i, fy mhen i
Dy ben di, dy ben di
A dyma grafu ein pennau ni
A dyma grafu ein pennau ni
Ein pennau ni.

Fy mol i, fy mol i
Dy fol di, dy fol di
A dyma grafu ein boliau ni
A dyma grafu ein boliau ni
Ein boliau ni.

Fy nghefn i, fy nghefn i
Dy gefn di, dy gefn di
A dyma grafu ein cefnau ni
A dyma grafu ein cefnau ni
Ein cefnau ni.

uned3

3.1 Ar ôl i ti...

Cysylltwch hanner brawddeg o'r golofn gynta â hanner brawddeg o'r ail golofn:

Connect half a sentence from the first column with half a sentence from the second column:

Ar ôl i ti fynd i'r tŷ bach...	roddaist ti'r creons yn y bocs?
Ar ôl i ti ddod i mewn ...	sychaist ti dy ddwylo di?
Ar ôl i ti dynnu llun ...	frwsiaist ti dy ddannedd di?
Ar ôl i ti chwarae gyda'r blociau ...	olchaist ti dy ddwylo di?
Ar ôl i ti fwyta losin ...	gest ti stori?
Ar ôl i ti chwarae yn y dŵr ...	dynnaist ti dy sgidiau di?
Ar ôl i ti gael anrheg ...	chwaraeaist ti yn yr iard?
Ar ôl i ti gyrraedd y Cylch ...	daclusaist ti?
Ar ôl i ti ganu ...	ddwedaist ti 'diolch'?

Gyda'ch partner, ymarferwch ddweud hanner brawddeg fel sbardun i'ch partner ddweud yr ail hanner. Ar ôl tipyn o ymarfer, rhowch ddarn o bapur dros yr ail golofn a cheisio cofio ail hanner pob brawddeg.

With your partner, practise saying half a sentence as a prompt for your partner to say the second half. After a bit of practice, put a piece of paper over the second column and try to remember the second half of each sentence.

 Gartre gyda'r plant

Ceisiwch ddefnyddio'r cwestiynau uchod gyda'ch plant.

Try to use the above questions with your children.

3.2 Rhoi cyngor

Dyma beth wnaeth Aled ddoe. Meddyliwch am gyngor addas iddo fe ar gyfer heddiw neu yfory.

This is what Aled did yesterday. Think of suitable advice for him for today or tomorrow.

Problem	Cyngor
Dechreuodd Aled gerdded.	Rhaid iddo fe gael sgidiau.
Gaeth Aled ddant newydd.	_____
Dringodd Aled y grisiau.	_____
Cododd Aled am 4.30 yn y bore.	_____
Cwympodd Aled yn yr ardd.	_____
Gaeth Aled anrheg pen-blwydd.	_____
Gofynnodd Aled am ddiod.	_____
Aeth Aled i'r pwll nofio.	_____

Yna newidiwch y brawddegau
i sôn am Anna yn lle Aled.

> *Then change the sentences*
> *to talk about Anna instead of Aled.*

 Cân

Tôn - 'Twinkle, twinkle little star'

Wrth ganu, gwnewch
ystumiau addas.

> *As you sing, make*
> *suitable actions.*

I wneud tipyn bach mwy gyda'r
gân dwedwch wrth y plant:

> *To do a little bit more with*
> *the song, say to the children:*

'Beth am ganu'n araf y tro 'ma?'
Wedyn, 'Beth am ganu'n gyflym?'
Neu, 'Beth am ganu'n hapus y tro 'ma?'
Ac wedyn, 'Beth am ganu'n drist?'

 Geirfa

cyrraedd	-	*to arrive*
grisiau	-	*stairs, steps*
iard	-	*school yard*
tacluso	-	*to tidy up*

Ar ôl codi, beth wnest ti?
Ar ôl codi, beth wnest ti?
Yn y bore, 'molchais i,
Yn y bore, 'molchais i,
Ar ôl codi, beth wnest ti
Gyda mami yn y tŷ?

Ar ôl 'molchi, beth wnest ti?
Ar ôl 'molchi, beth wnest ti?
Yn y bore, gwisgais i,
Yn y bore, gwisgais i,
Ar ôl codi, beth wnest ti
Gyda mami yn y tŷ?

Ar ôl gwisgo, beth wnest ti?
Ar ôl gwisgo, beth wnest ti?
Ces i frecwast mawr a braf,
Ces i frecwast mawr a braf,
Heddiw, dyna beth wnes i
Gyda mami yn y tŷ.

uned4

4.1 Mae Siôn wedi …

1. Bydd eich tiwtor yn rhoi cerdyn i chi. Ar y cerdyn mae un o'r pethau mae
Siôn wedi wneud. Meimiwch beth sy ar y cerdyn a bydd y dosbarth yn dyfalu.
Rhaid iddyn nhw ddweud yr holl frawddeg yn gywir.

> *The tutor will give you a card. On the card is one of the things Siôn has done. Mime*
> *what is on the card and the class will guess. They must say the whole sentence correctly.*

> Mae Siôn wedi dechrau cerdded

2. Ar ôl i bawb gymryd tro, dwedwch wrth eich partner
am rai pethau mae eich plant chi'n gwneud ac ers pryd.

> *After everyone has taken a turn, tell your partner about some*
> *things your children do and how long they have been doing them.*

Mae Manon yn cysgu drwy'r nos ....

ers wythnos
ers wythnosau
ers mis
ers misoedd
ers blwyddyn

4.2 Dyn ni wedi.....

Dych chi wedi _____?

Ydyn, dyn ni wedi _____

Nac ydyn, dyn ni ddim wedi _____

Ewch o gwmpas y dosbarth a gofyn i bobl ydyn nhw wedi gwneud y pethau hyn gyda'r plant yn ystod yr wythnos ddiwetha:

Go around the class asking people whether they have done these things with the children during the past week:

Enw	Siarad Cymraeg ✓ neu ✗	Tynnu lluniau ✓ neu ✗	Chwarae jig-sos ✓ neu ✗	Edrych ar lyfr ✓ neu ✗
1.				
2.				
3.				
4.				
5.				

4.3 Wyt ti wedi .....?

mynd i'r tŷ bach	yfed y llaeth i gyd	bwyta popeth	gorffen
tacluso	rhoi'r llyfr yn y bag	gwisgo dy got di	nôl dy sgidiau di
golchi dy ddwylo di	tynnu dy sgidiau di	colli maneg	sychu dy ddwylo di
brwsio dy ddannedd di	cribo dy wallt di	cael digon	gwneud y jig-so

Marciwch bum peth ar y grid uchod. Dyna'r pethau dych chi wedi gwneud.
Gyda'ch partner, gofynnwch bob yn ail i ddarganfod beth mae eich partner wedi wneud.

Mark five things on the above grid. Those are the things you have done.
Ask your partner questions to discover what he or she has done.

Wyt ti wedi _____?

Ydw, dw i wedi _____

Nac ydw, dw i ddim wedi _____

Geirfa

cropian	-	*to crawl*
llithren (b)	-	*slide*
maneg (menig) (b)	-	*glove(s)*

Gartre gyda'r plant

1. Defnyddiwch y cwestiynau uchod gyda'r plant bob dydd.
Use the above questions with the children every day.

2. Meddyliwch am ychydig o gwestiynau i'w gofyn bob nos cyn rhoi'r plant yn y gwely. Gofynnwch y cwestiynau'n chwareus a dweud yr atebion eich hunan ar y dechrau. Gyda digon o ymarfer, daw'r plant i ddisgwyl y cwestiynau fel rhan o'u defod mynd i'r gwely.
Think of a few questions to ask every night before putting the children to bed. Ask the questions playfully and say the answers yourself to begin with. With enough practice, the children will come to expect the questions as part of their going to bed ritual.

e.e.   Wyt ti wedi brwsio dy ddannedd di?
Wyt ti wedi golchi dy ddwylo di?
Wyt ti wedi gwisgo dy byjamas di?
Wyt ti wedi cael stori?
Wel, mewn i'r gwely â ti 'te.

 uned5

5.1 Dyfalu pwy

Ar ôl ymarfer defnyddio'r brawddegau ar ddechrau Uned 5 i ddisgrifio pobl, bydd y tiwtor yn rhoi llyfr plant neu gomic llawn lluniau i chi edrych arno gyda'ch partner. Gyda'ch partner ac yn eich tro, disgrifiwch un o gymeriadau'r llyfr a bydd eich partner yn dyfalu pwy sy'n cael ei ddisgrifio.

After practising describing people with the sentences at the beginning of Uned 5, *the tutor will give you and a partner a children's book or comic full of pictures. In turn, describe one of the book's characters and your partner will guess who is being described.*

 Gartre gyda'r plant

Chwaraewch yr un gêm gyda'r plant. Gallai'r plentyn bwyntio bys at y lluniau os dydy e/hi ddim yn barod i siarad.
Play the same game with the children. The child could point a finger at the pictures if he/she is not ready to speak.

5.2 Ein tŷ ni

Ar ôl ymarfer defnyddio'r brawddegau yn Uned 5 i siarad am y tŷ, ysgrifennwch bum brawddeg am eich tŷ chi (neu am eich tŷ delfrydol). Ewch o gwmpas y dosbarth a darllen eich brawddegau i bobl eraill i weld ydy rhywun arall wedi ysgrifennu'n union yr un peth.
After practising using the sentences in Uned 5 *to talk about the house, write five sentences about your house (or about your ideal house). Go around the class and read your sentences to other people to see if someone else has written exactly the same thing.*

Gartre gyda'r plant

1. Gyda'r plant, gwnewch lyfr lloffion o'r enw *Ein tŷ ni*. Gwnewch bum tudalen, un ar gyfer pob brawddeg ysgrifennoch chi yn y dosbarth. Defnyddiwch ffotograffau, lluniau gan y plant, neu luniau wedi'u torri o gatalogau dodrefn a DIY i ddarlunio pob brawddeg.

> *With the children, make a scrapbook called* Ein tŷ ni. *Include five pages, one for each sentence you wrote in class. Use photos, pictures made by the children, or pictures cut from furniture and DIY catalogues to illustrate each sentence.*

2. Rhowch label ar ddrws pob ystafell yn y tŷ, e.e. y gegin, y lolfa, yr ystafell ymolchi, ystafell wely Mami a Dadi, ystafell wely Siôn. Cofiwch roi'r labeli yn ddigon isel i'r plant gael eu darllen, a chofiwch ddefnyddio llythrennau bach yn hytrach na phriflythrennau.

> *Put a label on the door of every room in the house, e.g.* y gegin, y lolfa, yr ystafell ymolchi, ystafell wely Mami a Dadi, ystafell wely Siôn. *Remember to put the labels low enough for the children to be able to read them, and remember to use small letters rather than capital letters.*

3. Gyda'r plant, adeiladu tŷ lego neu ddefnyddio bocsys cardfwrdd wedi'u gludio wrth ei gilydd i wneud tŷ. Disgrifiwch y tŷ wrth i chi adeiladu. Efallai bydd angen y geiriau hyn:

> *With the children, build a lego house or use cardboard boxes glued together to make a house. Describe the house as you build. You may need these words:*

 Geirfa

lan lofft	-	*upstairs*
lawr llawr	-	*downstairs*
simnai	-	*chimney*
to	-	*roof*

 uned6

6.1 Oes rhywbeth yn bod ar ….. ?

Marciwch unrhyw bump o'r pethau isod. Mae rhywbeth yn bod ar y pump. Bydd eich partner yn gofyn cwestiynau er mwyn darganfod pa bethau dych chi wedi'u marcio.

> *Mark any five of the things below. Something is wrong with the five things. Your partner will ask questions in order to discover which things you have marked.*

tedi	y babi	Siôn	y plant
doli glwt	hi	nhw	Siân
ni	y gath	y car	ti
Gareth a Sarah	chi	y bwyd	fe

Oes rhywbeth yn bod ar _____?

Oes, mae rhywbeth yn bod ar _____

Nac oes, does dim byd yn bod ar _____

6.2 Mae'n hen bryd

1. Gyda'r tiwtor a gyda'r dosbarth, trafodwch ymatebion i'r problemau isod.
Dechreuwch bob ymateb gyda 'Mae'n hen bryd....'

With the tutor and the class, discuss reponses to the problems below.
Start every response with 'Mae'n hen bryd...'

Mae'r babi'n crio drwy'r nos.

Mae'r plant yn edrych ar y teledu eto.

Mae Siôn yn bwyta llawer o losin.

Mae'r plant yn ffraeo drwy'r amser.

Mae Siôn eisiau dysgu darllen.

Mae'r plant wedi blino.

Mae paent ar ddwylo Siân.

Mae Siôn wedi bwrw Siân.

Mae Siân yn gallu dringo ma's o'r crud.

Mae'r plant eisiau dysgu nofio.

Dyw'r plant ddim eisiau bwyta llysiau.

2. Mae'r tiwtor wedi gwneud set o gardiau. Mae un o'r problemau uchod ar bob cerdyn.
Bydd y tiwtor yn rhoi un o'r cardiau i chi. Ewch o gwmpas y dosbarth a gofyn i bawb
am gyngor am y broblem ar y cerdyn.

The tutor has made a set of cards. One of the above
problems is on each card. The tutor will give you one
of the cards. Go around the class and ask everyone
for advice about the problem on the card.

Geirfa

crud	-	*cot, cradle*
ffraeo	-	*to quarrel*
llysiau	-	*vegetables*

 Cân

Tôn – 'London Bridge
is Falling Down'

Beth sy'n bod arnat ti, arnat ti, arnat ti?
Beth sy'n bod arnat ti?
Bo-la tost.

Beth sy'n bod arno fe, arno fe, arno fe?
Beth sy'n bod arno fe?
Pe-en tost.

Beth sy'n bod arni hi, arni hi, arni hi?
Beth sy'n bod arni hi?
Wedi blino!

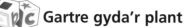 **Gartre gyda'r plant**

Ceisiwch ddefnyddio iaith yr uned hon gyda'ch plant neu wrth siarad am eich plant.
Try to use language from this unit with your children or to talk about your children.

uned **7**

7.1 Plant

1. Ar ôl ymarfer y brawddegau yn Uned 7, trafodwch
y plant yn y lluniau hyn gyda'ch partner.

> *After practising the sentences in* Uned 7, *discuss
> the children in these pictures with your partner.*

e.e.   Beth wyt ti'n feddwl o Sali?   *What do you think of Sali?*
Dw i'n meddwl bod hi'n grac.   *I think she's angry.*

Defnyddiwch yr ansoddeiriau hyn, neu rai eraill addas.

> *Use these adjectives, or others which are suitable.*

hapus	iawn	trist	bywiog
tawel	swil	swnllyd	crac

2. Bydd eich partner yn esgus bod yn un
o'r plant yn y lluniau. Dyfalwch pa un
a dweud, er enghraifft:

> *Your partner will pretend to be one of the children in the pictures.*
> *Guess which one and say, for example:*

> Chi: Dw i'n meddwl fod ti'n swil.
> Partner: Ydw / Nac ydw.

Gweithiwch drwy'r lluniau i gyd bob yn ail â'ch partner.
> *Take turns to work through all the pictures.*

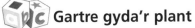 **Gartre gyda'r plant**

Ceisiwch ddefnyddio'r iaith yn yr uned hon i siarad
â'r plant amdanyn nhw eu hunain ac am eu ffrindiau.
> *Try to use the language in this unit to talk to your children about themselves and their friends.*

 Geirfa

bywiog	-	*lively*
swil	-	*shy*
swnllyd	-	*noisy*
crac	-	*angry*

7.2 Llyfrau

Mae'r tiwtor wedi dod â llyfrau plant i'r dosbarth. Gyda'ch partner,
edrychwch ar y llyfrau a thrafod cymeriadau'r storïau.

> *The tutor has brought children's books to class. With your partner,*
> *look at the books and discuss the characters in the stories.*

> e.e. Dw i'n meddwl bod hi'n drist.

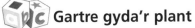 **Gartre gyda'r plant**

Gwnewch yr un peth wrth ddarllen gyda'r plant gartre.
> *Do the same thing when reading with the children at home.*

Atodiad i Rieni – Sylfaen: Uned 8

8.1 Sut mae'r plant wedi newid

Gyda'ch partner, llenwch y grid yma gydag unrhyw ymatebion posib.

With your partner, fill in this grid with any possible responses.

Pan oedd hi'n fabi...	Nawr ....
Roedd hi'n dihuno yn y nos.	*Mae hi'n cysgu drwy'r nos*
Roedd hi'n crio llawer.	
Roedd hi'n mynd ma's yn y goets.	
Roedd hi'n gorwedd yn y bath.	
Roedd hi'n yfed llaeth.	
Doedd dim gwallt gyda hi.	
Doedd dim dannedd gyda hi.	
Roedd hi'n gwisgo dillad babi.	
Doedd hi ddim yn gwisgo sgidiau.	
Roedd hi'n gwisgo cewynnau.	

Nawr defnyddiwch rai o'r brawddegau uchod i ddweud wrth eich partner sut mae eich plentyn wedi newid.

Now use some of the above sentences to tell your partner how your child has changed.

Geirfa

cewyn(nau) - *nappy (nappies)*
coets(ys) (b) - *pram(s)*

 Gartre gyda'r plant

Edrychwch ar ffotograffau a siarad â'r plant amdanyn nhw. Byddan nhw'n hoffi clywed sut o'n nhw pan o'n nhw'n fabis a hefyd byddan nhw'n hoffi clywed amdanoch chi a'ch brodyr a'ch chwiorydd pan o'ch chi'n blant.

Look at photos and talk to the children about them. They will enjoy hearing how they were when they were babies and also hearing about you and your brothers and sisters when you were children.

8.2 Newydd gael babi

Dych chi'n mynd i siarad am bobl sy newydd gael babi cynta. Meddyliwch sut mae eu bywydau wedi newid. Ysgrifennwch un gair ym mhob bocs a thrafod â'ch partner.

You are going to talk about people who have just had a first baby. Think how their lives have changed. Write one word in each gap and discuss with your partner.

	Nawr maen nhw'n ...	Cyn y babi ro'n nhw'n ...
dihuno:	_____	_____
bwyta:	_____	_____
yfed:	_____	_____
gyrru:	_____	_____
darllen:	_____	_____
edrych ar:	_____	_____
gwrando ar:	_____	_____
prynu dillad yn:	_____	_____
mynd ar wyliau i:	_____	_____
chwarae:	_____	_____

uned9

9.1 Beth sy'n well gyda ti?

Cwblhewch y brawddegau hyn i wneud cwestiynau i'w gofyn i'ch plant:

Complete these sentences to make questions to ask your children:

Beth sy'n well gyda ti? _____ neu _____? (bwyd)

Beth sy'n well gyda ti? _____ neu _____? (diod)

Beth sy'n well gyda ti? _____ neu _____? (dillad)

Beth sy'n well gyda ti? _____ neu _____? (rhaglen deledu)

Beth sy'n well gyda ti? _____ neu _____? (fideo)

Beth sy'n well gyda ti? _____ neu _____? (llyfr)

Beth sy'n well gyda ti? _____ neu _____? (gêm)

Beth sy'n well gyda ti? Mynd i _____ neu fynd i _____? (trip)

Gofynnwch y cwestiynau i'ch partner. Ailadroddwch gyda nifer o bartneriaid.
Gyda'r partner ola, gofynnwch y cwestiynau o'r cof heb edrych ar y llyfr.

*Ask your partner the questions. Repeat with a number of partners. With
the last partner, ask the questions from memory without looking at the book.*

Gartre gyda'r plant

Defnyddiwch y cwestiynau gyda'ch plant.

Rhybudd – Peidiwch cynnig dewis i'ch plant oni bai bod digon o amser gyda chi i aros am yr ymateb! Os dych chi am gynnig dewis iddyn nhw, cynigiwch ddewis rhwng dau beth fel yn y cwestiynau uchod, yn hytrach na dewis cwbl agored.

Warning – Don't offer your children a choice unless you have enough time to wait for the response! If you are going to offer them a choice, offer a choice between two things as in the above questions, rather than a completely open choice.

9.2 Cas bethau a hoff bethau

Gan esgus bod yn un o'ch plant, cwblhewch y brawddegau hyn:

Pretend you are one of your children and complete these sentences:

Mae'n gas gyda fi _____

Dw i'n casáu _____

Dw i ddim yn hoffi _____

Fy nghas beth i yw _____

Fy hoff fwyd i yw _____

Fy hoff ddiod i yw _____

Fy hoff lyfr i yw _____

Fy hoff raglen i yw _____

Dych chi'n dal i esgus bod yn un o'ch plant. Gyda'ch partner, ymarferwch y cwestiynau hyn a'r ymatebion uchod. Newidiwch bartneriaid nifer o weithiau.

You are still pretending to be one of your children. With your partner, practise these questions and the above responses. Change partners a number of times.

Gartre gyda'r plant

Defnyddiwch y brawddegau uchod i wneud llyfr am gas a hoff bethau eich plentyn. Rhowch un frawddeg ar bob tudalen. Cofiwch ddefnyddio llythrennau bach yn hytrach na phriflythrennau. Defnyddiwch lythyren fras i ddechrau enw neu frawddeg. Gofynnwch i'ch plentyn dynnu llun i fynd gyda phob brawddeg, neu gellwch dorri lluniau allan o gylchgronau.

Use the above sentences to make a book about the things your child loves and hates. Put one sentence on each page. Remember to use small letters rather than capital letters. Use a capital letter to start a name or a sentence. Ask your child to draw a picture to go with each sentence, or you can cut pictures out of magazines.

Wythnos nesa

Os oes hoff lyfrau Cymraeg gyda'ch plant, ewch â nhw i'r wers nesa.

If your children have favourite Welsh books, take them to the next lesson.

Cân

Tôn – 'The Grand Old Duke of York'

Os dych chi'n cynnig dewis i'ch
plentyn, e.e. beth i'w gael i de,
beth am ei gael i ganu'r ateb?

*If you're offering your child
a choice, e.g. what to have
for tea, what about getting
him or her to sing the answer?*

Mae'n well gyda fi gael sudd,
Mae'n well gyda fi gael sudd,
Mae'n well gyda fi gael sudd i de
Na dim byd yn ei le.

Mae'n well gyda fi gael ffrwyth,
Mae'n well gyda fi gael ffrwyth,
Mae'n well gyda fi gael ffrwyth i de
Na dim byd yn ei le.

Mae'n well gyda fi gael wy,
Mae'n well gyda fi gael wy,
Mae'n well gyda fi gael wy i de
Na dim byd yn ei le.

uned 10

10.1 Rhaglenni teledu

Cwblhewch y brawddegau hyn:

Complete these sentences:

Dw i'n meddwl bod *The Tweenies* yn _____

Dw i'n meddwl bod *Balamory* yn _____

Dw i'n meddwl bod *The Hoobs* yn _____

Ro'n i'n meddwl bod *Blue Peter* yn _____

Ro'n i'n meddwl bod *John Craven's Newsround* yn _____

Ro'n i'n meddwl bod *Neighbours* yn _____

Nawr ewch o gwmpas y dosbarth yn darllen eich
rhestr chi i weld a oes rhywun arall o'r un farn â chi.

*Now go round the class reading your list to
see if there is anyone else of the same opinion.*

10.2 Hoff bethau'r plant

Gofynnwch i dri o bobl yn y dosbarth am hoff bethau eu plant.

Ask three people in the class about their children's favourite things.

Beth yw enw'r plentyn?

Beth yw ei hoff fwyd e?

Beth yw ei hoff ddiod e?

Beth yw ei hoff degan hi?

Beth yw ei hoff lyfr hi?

	Person 1	Person 2	Person 3
enw'r plentyn			
hoff fwyd			
hoff ddiod			
hoff degan			
hoff lyfr			

10.3 Hoff lyfrau'r plant

Wythnos diwetha, gofynnodd y tiwtor i chi ddod â hoff lyfrau Cymraeg eich plant i'r dosbarth. Darllenwch y llyfrau i'ch partner. Newidiwch bartneriaid nifer o weithiau.

Last week, the tutor asked you to bring your children's favourite Welsh books to class. Read the books to your partner. Change partners a number of times.

Os dych chi'n hoffi rhai o'r llyfrau mae pobl eraill yn eu darllen, gwnewch nodyn o deitl ac awdur y llyfrau.

If you like some of the books other people are reading, make a note of the title and author of the books.

Gartre gyda'r plant

Ewch â'r plant i'r llyfrgell i chwilio am y llyfrau glywoch chi yn y dosbarth.
Take the children to the library to look for the books you heard in class.

uned 11

11.1 Siarad am y plant

Ymarferwch (*practise*) y brawddegau yma gyda'r tiwtor a gyda'ch partner.

> Gaeth John ei eni yn Ysbyty Caerffili.
> Gaeth e ei eni ym mis Ionawr.
> Gaeth e ei eni am 2.30 y bore.
> Gaeth e ei eni'n pwyso 8 pwys 6 owns.

> Gaeth Siân ei geni yn y tŷ.
> Gaeth hi ei geni ym mis Mawrth.
> Gaeth hi ei geni am 4 o'r gloch y prynhawn.
> Gaeth hi ei geni'n pwyso 7 pwys 4 owns.

Nawr ysgrifennwch frawddegau tebyg am eich plant eich hunan.

Plentyn 1

Gaeth _____

Gaeth _____

Gaeth _____

Gaeth _____

Plentyn 2

Gaeth _____

Gaeth _____

Gaeth _____

Gaeth _____

11.2 Ble mae'r plant?

Bydd y tiwtor yn rhoi darnau bach o bapur i chi. Ar bob darn o bapur
ysgrifennwch am un o'ch plant. Ysgrifennwch bedair brawddeg debyg i'r
rhai uchod am bob plentyn. Peidiwch rhoi enw'r plentyn ar y papur. Dechreuwch
bob brawddeg gyda 'Gaeth x ei eni...' neu 'Gaeth x ei geni...'

*The tutor will give you small pieces of paper. On each piece of paper write about one of your
children. Write four sentences similar to those above about each child. Don't put the child's
name on the paper. Start each sentence with 'Gaeth x ei eni...' or 'Gaeth x ei geni...'*

Bydd y tiwtor yn casglu'r papurau a'u hailddosbarthu. Ewch o gwmpas y dosbarth
yn gofyn cwestiynau tebyg i'r rhai uchod, am y plant sy'n cael eu disgrifio ar y papurau,
nes i chi ddod o hyd i'ch plant eich hunan.

*The tutor will collect the papers and redistribute them. Go around the class asking
questions similar to the above, about the children who are described on the papers, until
you come across your own children.*

Gartre gyda'r plant

Defnyddiwch y brawddegau yn yr uned hon,
ynghyd â ffotograffau o'r plant pan o'n nhw'n
fabis, i wneud gludwaith. Rhowch y gludwaith
mewn ffrâm a'i roi ar y wal.

*Use the sentences in this unit, together with photos
of the children when they were babies, to make a collage.
Put the collage in a frame and place it on the wall.*

Geirfa

owns   - *ounce*

pwys   - *pound (weight)*

uned12

📖 12.1 Newyddion yr ysgol neu'r cylch meithrin

Darllenwch yn uchel gyda'ch partner.

Read aloud with your partner.

Gaeth **Dafydd** ei ddewis i **ganu** yn y cyngerdd.

Gaeth **Nia** ei dewis i **ddarllen** yn y gwasanaeth.

Gaeth y **plant** eu dewis i **actio** yn y sioe.

Gaeth **Dosbarth 6** eu hyfforddi i **chwarae pêl-droed**.

Gaeth **y plant bach** eu dysgu i **ganu cân newydd**.

Gaeth **Mrs Williams** ei **phenodi i'r swydd**.

Gaeth **yr ystafell ddosbarth** ei **pheintio** gan y rhieni.

Gaeth yr **iard** ei **thacluso** gan y plant.

Nawr newidiwch y geiriau sy mewn llythrennau tywyll.

Now change the words in bold letters.

12.2 Amser stori

Gyda'ch partner, aildrefnwch y brawddegau hyn i wneud stori gyfarwydd.

With your partner, rearrange these sentences to make a familiar story.

Gaeth Jac ei dwyllo gan yr hen fenyw.

Gaeth y trysor ei ddwyn gan Jac.

Roedd mam Jac yn dlawd.

Gaeth Jac ei anfon i'r farchnad gyda'r fuwch.

Gaeth y goeden ffa ei thorri i lawr.

Gaeth y fuwch ei gwerthu i'r hen fenyw am gwdyn o aur.

Gaeth y cawr ei ddihuno.

Gaeth y ffa eu taflu i'r ardd.

Buodd Jac a'i fam fyw yn hapus am byth.

Ar ôl ymarfer y stori gyda'r tiwtor a gyda'ch partner, gweithiwch gyda'ch partner a cheisio dweud stori arall gan ddefnyddio llawer o frawddegau sy'n dechrau gyda 'Gaeth', e.e. Sinderela.

After practising the story with the tutor and with your partner, work with your partner and try to tell another story using lots of sentences which start with 'Gaeth' e.g. Cinderella.

 **Gartre gyda'r plant**

Weithiau, ar ôl darllen stori i'r plant, gofynnwch iddyn nhw beth ddigwyddodd. Helpwch nhw i gofio drwy ddweud brawddeg sy'n dechrau gyda 'Gaeth' ond stopio a gadael iddyn nhw orffen y frawddeg, e.e. Gaeth Smot ei anfon i'r …(ardd).

> *Sometimes, after reading the children a story, ask them what happened. Help them to remember by starting a sentence with 'Gaeth' but stopping and letting them finish the sentence, e.g.* Gaeth Smot ei anfon i'r …(ardd) *(Smot was sent to the… (garden).*

Geirfa

am byth	-	*for ever*
anfon	-	*to send*
buwch (b)	-	*cow*
cawr	-	*giant*
coeden ffa (b)	-	*beanstalk*
cwdyn o aur	-	*bag of gold*
dwyn	-	*to steal*
ffa	-	*beans*
hen fenyw (b)	-	*old woman*
penodi	-	*to appoint*
plant bach	-	*infants*
taflu	-	*to throw*
tlawd	-	*poor*
trysor	-	*treasure*
twyllo	-	*to cheat, to deceive*

uned**13**

13.1 Gwrthod

Gyda'ch partner, ysgrifennwch atebion i'r cwestiynau hyn.
Dechreuwch gyda 'Na chei' a rhowch reswm.

> *With your partner, write answers to these questions.*
> *Start with 'Na chei' and give a reason.*

e.e. Ga i **ddŵr**? Na chei, mae hi'n amser cysgu.

Ga i **chwarae**? _____

Ga i **losin**? _____

Ga i **stori** arall? _____

Ga i fynd i **dŷ mam-gu**? _____

Ga i wisgo **siwt Batman**? _____

Ar ôl rhannu eich atebion gyda'r tiwtor a'r dosbarth, gweithiwch gyda phartner newydd. Ar lafar, newidiwch y geiriau sy mewn llythrennau tywyll a'r atebion. Newidiwch bartneriaid nifer o weithiau er mwyn cael syniadau newydd. Wedyn ewch nôl at y partner gwreiddiol. Caewch eich llyfrau a cheisio cofio'r cwestiynau gwreiddiol a'ch atebion.

> *After sharing your answers with the tutor and class, work with a new partner. Orally, change the words in bold and the answers. Change partners a number of times in order to get new ideas. Then return to your original partner. Close your books and try to remember the original questions and your answers.*

13.2 Llongau rhyfel / Battleships

Ticiwch wyth peth, a holi eich partner. / *Tick eight items, and ask your partner questions to find out what he/she will do.*

Wnei di.... ?   Gwnaf / Na wnaf

tacluso'r teganau ○	gwisgo dy got di ○	helpu dy frawd di ○	dod yma ○	mynd i'r tŷ bach nawr ○
dod i mewn ○	gwrando arna i ○	gorffen dy laeth di ○	bwyta dy frecwast di ○	edrych ar y llyfr ○
eistedd wrth y bwrdd ○	rhoi'r cwpan ar y bwrdd ○	mynd i nôl dy esgidiau di ○	dal y pensil fel hyn ○	tynnu llun i mi ○
rhoi hwn yn dy fag di ○	cyfrif yr afalau ○	canu gyda fi ○	gorffen y jig-so ○	rhoi sws i mi ○

 Gartre gyda'r plant

Mae llawer o gwestiynau ac atebion yn yr uned hon. Ceisiwch eu defnyddio gyda'ch plant. Yn aml iawn, bydd eich plant yn gofyn cwestiynau tebyg i'r rhain, ond yn Saesneg. Dwedwch y cwestiynau yn Gymraeg ar eu hôl nhw. Os ydych chi'n gofyn cwestiwn yn Gymraeg i'r plant, ac maen nhw'n ateb yn Saesneg, dwedwch yr ateb yn Gymraeg ar eu hôl nhw.

> *There are a lot of questions and answers in this unit. Try to use them with the children. Very often, your children will ask similar questions, but in English. Say the questions in Welsh after them. If you ask the children questions in Welsh, and they answer in English, repeat the answer in Welsh.*

Cân

Tôn –
'For He's a Jolly Good Fellow'

Wnei di ddarllen y stori?
Wnei di ddarllen y stori?
Wnei di ddarllen y stori?
Gwnaf, gwnaf, gwnaf.

Wnei di orffen y jig-so?
Wnei di orffen y jig-so?
Wnei di orffen y jig-so?
Gwnaf, gwnaf, gwnaf.

Wnei di fwyta dy swper?
Wnei di fwyta dy swper?
Wnei di fwyta dy swper?
Gwnaf, gwnaf, gwnaf.

Geirfa

| gwrthod | – *to refuse* |
| sws | – *a kiss* |

uned 14

14.1 Pwy sy 'na?

Bydd y tiwtor yn rhoi darn o bapur i bawb. Ar y papur ysgrifennwch enwau pump o
deganau meddal neu ddoliau'r plant, e.e. Ted, Barbie etc. Rhowch y papur i'ch partner ac
esgus dal un o'r teganau y tu ôl i'ch cefn. Bydd eich partner yn gofyn cwestiynau er mwyn
darganfod pa degan dych chi'n esgus ei guddio.

> *The tutor will give everyone a piece of paper. On the paper write the names of five of the
> children's soft toys or dolls e.g. Ted, Barbie etc. Give your partner the paper and pretend to
> hold one of the toys behind your back. Your partner will ask questions in order to discover
> which toy you are pretending to hide.*

A: Pwy sy 'na? (gan esgus cuddio tegan/*pretending to hide a toy*)
B: Ted sy 'na. (gan ddyfalu/*guessing*)
A: Nage.
B: Barbie sy 'na.
A: Ie.

Gartre gyda'r plant

Chwarae'r un gêm gyda'r plant. Mae'n debyg y bydd yn rhaid gadael i'r plentyn guddio'r
tegan ac mai chi fydd yn gofyn y cwestiynau. Ar ôl chwarae'r gêm sawl gwaith, ac ar wahanol
adegau, cuddiwch degan eich hunan i weld a fydd y plentyn yn gofyn y cwestiynau i chi.

> *Play the same game with the children. You will probably have to let the child hide the
> toy and ask the questions yourself. After playing the game many times, and on different
> occasions, hide a toy yourself to see whether the child will ask you the questions.*

14.2 Cyfrif

Bydd y tiwtor yn rhoi stribyn o bapur i bawb. Ar y papur, tynnwch luniau nifer
o fisgedi (cylchoedd bach). Chi sy'n dewis faint. Unrhyw nifer rhwng un a deg.

> *The tutor will give everyone a strip of paper. On the paper, draw a number of biscuits
> (small circles). You choose how many. Any number between one and ten.*

Ewch o gwmpas y dosbarth a gofyn:
> *Go around the class and ask:*

A: Faint sy gyda ti?
B: Pedwar sy gyda fi.
A: (gan rwygo un o'r cylchoedd o bapur Partner B/*tearing off one circle on
Partner B's paper*) Dim ond tri sy gyda ti nawr.

Ailadroddwch o gwmpas y dosbarth.
> *Repeat around the class.*

Gartre gyda'r plant

Cymerwch bob cyfle i gyfrif gyda'r plant. Defnyddiwch sgwrs debyg i'r un uchod
wrth i'r plant fwyta moron, bisgedi, losin, darnau o oren ac ati, neu wrth chwarae siop.

> *Take every opportunity to count with the children. Use a similar conversation to the one above*
> *as the children eat carrots, biscuits, sweets, pieces of orange and so on, or when playing shop.*

14.3 Pwy sy biau hwn?

Bydd y tiwtor yn mynd o gwmpas yr ystafell yn gofyn i bawb roi ychydig o bethau
bach mewn bag, e.e. beiro, pensil, allwedd, maneg, crib. Bydd y tiwtor yn ailddosbarthu'r
pethau. Ewch o gwmpas y dosbarth a cheisio dod o hyd i berchenogion y pethau roddodd
y tiwtor i chi.

> *The tutor will go around the room asking everyone to put a few small things in a bag,*
> *e.g. biro, pencil, key, glove, comb. The tutor will redistribute the items. Go around the*
> *class and try to find the owners of the things the tutor gave you.*

A: Ti sy biau hwn?

B: Nage.

A: Ti sy biau hon?

B: Ie, fi sy biau hon.

 Gartre gyda'r plant

Ymarferwch y cwestiynau a'r atebion hyn wrth dacluso.

> *Practise these questions and answers as you tidy up.*

14.4 Rhywbeth sy'n dechrau gyda …

Gyda'r tiwtor a gyda'ch partner, ymarferwch y gêm:

> *With the tutor and with your partner, practise the game:*

Dw i'n gweld gyda fy llygad bach i, rhywbeth sy'n dechrau gyda ….

Cofiwch ddefnyddio sŵn y llythyren, nid enw'r llythyren,
e.e. a fel yn afal, nid a fel yn *game*.

> *Remember to use the sound of the letter, not the name*
> *of the letter e.g. a as in apple, not a as in game.*

 Gartre gyda'r plant

Chwaraewch yr un gêm.

**Yr wythnos nesa, ewch ag ychydig
o ffotograffau o'ch plant i'r dosbarth.**

> *Next week, take a few photos*
> *of your children to class.*

15.1 Edrych ar y ffotograffau

Yr wythnos diwetha, gofynnodd y tiwtor i chi ddod â ffotograffau o'ch plant i'r dosbarth. Gyda'ch partner, edrychwch arnyn nhw a dweud ychydig am y plant. Newidiwch bartneriaid nifer o weithiau.

> *Last week, the tutor asked you to bring photos of the children to class. With your partner, look at the photos and say a little bit about the children. Change partners a number of times.*

Dechreuwch bob brawddeg gyda 'Gaeth...', neu 'Ble gaeth...?' neu 'Pryd gaeth ...?'

15.2 Y diwrnod arferol

Gyda'ch partner, meddyliwch am o leia un peth addas i'w ddweud wrth y plant ar yr adegau hyn:

> *With your partner, think of at least one suitable thing to say to the children at these times:*

- Amser brecwast
- Amser mynd i'r ysgol neu'r cylch meithrin
- Amser dod adre o'r ysgol neu'r cylch

- Amser te
- Amser bath
- Amser stori
- Amser gwely

Rhannwch eich syniadau gyda'r tiwtor a'r dosbarth.

> *Share your ideas with the tutor and the class.*

 Gartre gyda'r plant

Ceisiwch ddweud ychydig o bethau newydd wrth y plant yn ystod yr wythnos hon.

> *Try to say a few new things to the children during this week.*

15.3 Siarad am lyfrau

Mae'r tiwtor wedi dod â llyfrau plant i mewn i'r dosbarth. Darllenwch lyfr gyda'ch partner ac wedyn gofynnwch gwestiynau i'ch gilydd am y stori. Dechreuwch y cwestiynau gyda:

> *The tutor has brought children's books to class. Read a book with your partner and then ask each other questions about the story. Start the questions with:*

Beth sy'n ...?
Pwy sy'n ...?
Beth oedd yn ...?

Pwy oedd yn ...?
Beth fydd yn ...?
Pwy fydd yn ...?

 Gartre gyda'r plant

Gofynnwch y cwestiynau uchod ar ôl darllen stori i'r plant.

> *Ask the above questions after reading the children a story.*

uned16

16.1 Gêm drac - Beth fyddi di'n wneud?

Fyddi di'n _____ heddiw?

Taflwch ddis i symud o gwmpas y trac.
Throw a dice to move around the track.

1, 3, 5 ar y dis = Bydda
2, 4, 6 ar y dis = Na fydda

Dechrau			
gwneud ymarfer corff →	mynd i nofio	bwyta brechdanau	siarad â Siân
chwarae yn yr iard	paentio	cael stori ←	canu
coginio →	dawnsio	tynnu llun	chwarae gyda'r tywod
reidio beic	chwarae yn y tŷ bach twt	chwarae gyda dŵr ←	bwyta ffrwythau
Diwedd			

 Gartre gyda'r plant

Ceisiwch ddefnyddio'r cwestiynau hyn ar y ffordd i'r ysgol neu'r cylch meithrin.
Try to use these questions on the way to school or to the nursery group.

16.2 Hanner tymor

Gofynnwch i'ch partner am y pethau y bydd e/hi'n wneud gyda'r teulu yn ystod y gwyliau neu'r gwyliau hanner tymor nesa.
Ask your partner about the things he/she will be doing with the family during the next holiday or half term holiday.

Fyddwch chi'n _____?   Byddwn, byddwn ni'n _____
                               Na fyddwn, fyddwn ni ddim yn _____

 ✓ neu ✗

mynd i nofio			chwarae yn yr ardd	
gwneud bisgedi			mynd i dŷ ffrindiau	
mynd i'r llyfrgell			mynd i'r traeth	
chwarae yn y parc			bwyta ma's	
edrych ar fideos			mynd i dŷ Mam-gu	
mynd am dro				

Nawr bydd y tiwtor yn gofyn i chi ddweud wrth y dosbarth am y pethau
y bydd teulu eich partner yn wneud.

Now the tutor will ask you to tell the class about the things your partner's family will be doing.

Byddan nhw'n _____   Fyddan nhw ddim yn _____

 Gartre gyda'r plant

Mae'n bwysig bod plant yn gweld sut mae oedolion yn defnyddio'r pethau maen
nhw'n ysgrifennu. Ar ddechrau wythnos o wyliau ysgol, ysgrifennwch amserlen ar
gyfer yr wythnos. Gofynnwch i'r plant dynnu lluniau i fynd gyda'r gweithgareddau
ar yr amserlen. Rhowch yr amserlen a'r lluniau yn rhywle lle mae'r plant yn gallu eu
gweld, e.e. drws yr oergell. Bob dydd, dangoswch i'r plant eich bod chi'n darllen yr
amserlen i ddarganfod beth i'w wneud y diwrnod hwnnw.

It's important children see how adults use the things they write. At the start of a week
of school holidays, write a timetable for the week. Ask the children to draw pictures to
go with the activities on the timetable. Put the timetable and the pictures somewhere
the children can see them, e.g. the fridge door. Every day, show the children you are
reading the timetable to discover what to do that day.

16.3 Nodyn i'r ysgol

1. Gyda'r tiwtor a gyda'ch partner,
darllenwch y nodyn yma:
   With the tutor and with your
   partner, read this note:

2. Gyda'ch partner, newidiwch y geiriau
sydd mewn llythrennau tywyll.
   With your partner, change
   the words in bold letters.

3. Ewch o gwmpas y dosbarth a darllen
eich nodyn i bobl eraill. Oes rhywun
arall wedi ysgrifennu'r un peth â chi?
   Go around the class and read your
   note to other people. Has someone
   else written the same thing as you?

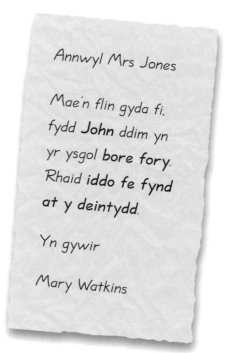

Annwyl Mrs Jones

Mae'n flin gyda fi.
fydd John ddim yn
yr ysgol **bore fory**.
Rhaid **iddo fe fynd**
at y deintydd.

Yn gywir

Mary Watkins

4. Caewch eich llyfr. Ceisiwch gofio'r nodyn a'i ysgrifennu ar ddarn o bapur.
   Close your book. Try to remember the note and write it on a piece of paper.

uned17

17.1 Bargeinio

1. Gyda'ch partner, rhowch y geiriau hyn yn y bylchau i wneud brawddegau addas ar gyfer yr achlysuron mewn cromfachau. Mae'r cyntaf wedi ei wneud i chi.

With your partner, put these words in the gaps to make sentences suitable for the occasions in brackets. The first has been done for you.

garej	rhan yma	botymau	rhan yna

celfi	coed	lasys	ceir	awyr	doliau

Gwna i'r **coesau** os gwnei di'r **breichiau** (cael bath)

Gwna i'r _____ os gwnei di'r _____ (gwisgo)

Gwna i'r _____ os gwnei di'r _____ (tynnu llun)

Gwna i'r _____ os gwnei di'r _____ (tacluso)

Gwna i'r _____ os gwnei di'r _____ (gwneud jig-so)

Gwna i'r _____ os gwnei di'r _____ (tŷ doliau)

2. Gyda'ch partner, ymarferwch ddarllen y brawddegau. Wedyn, rhowch ddarn o bapur dros ail hanner y brawddegau a cheisio eu cofio. Yna caewch eich llyfrau a cheisio cofio'r brawddegau cyfan.

With your partner, practise reading the sentences. Then, put a piece of paper over the second half of the sentences and try to remember them. Next, close your books and try to remember whole sentences.

Gartre gyda'r plant

Ceisiwch ddefnyddio'r brawddegau hyn gyda'ch plant.

Try to use these sentences with your children.

Gartre gyda'r plant

Os dych chi eisiau dysgu iaith, mae'n bwysig meithrin y cof. Bydd hyn o gymorth i chi a'r plant.

If you want to learn a language, it's important to nurture memory. This will help you and the children.

Cyn i chi wneud rhywbeth, esboniwch i'r plant:

Before you do something, explain to the children:

e.e. **Heddiw,**

cerddwn ni i'r siop (*take hold of one child's hand and walk your fingers across the palm*)

prynwn ni fwyd (*pretending to take money from your pocket and placing it in the child's hand*)

cerddwn ni adre (*walking your fingers on the child's palm again*).

Yna gofynnwch i'r plant: **Beth wnawn ni?**

Mae'n debyg na chewch chi ddim ateb, ond ailadroddwch yr uchod. Os gwnewch chi hyn yn aml, mae'n bosib y bydd y plant yn dechrau ateb. Unwaith y byddan nhw'n dechrau cofio tri pheth, dechreuwch sôn am bedwar peth, ac wedyn pump, ac yn y blaen.

> *It's likely you won't get an answer, but repeat the above. If you do this often, it's possible the children will start to answer. Once they start to remember three things, start to talk about four things, then five, and so on.*

17.2 Trafod storïau

Meddyliwch am storïau dych chi wedi eu darllen gyda'r plant. Nawr dychmygwch stopio darllen yng nghanol y stori er mwyn gofyn i'r plant ragweld beth ddigwyddiff nesa. Gyda'ch partner, llenwch y bylchau i wneud cwestiynau posib:

> *Think about stories you have read with the children. Now imagine stopping reading in the middle of the story in order to ask the children to forecast what will happen next. With your partner, fill in the gaps to make possible questions:*

e.e.   Beth wnân nhw os gwelan nhw grocodeil?

Beth wnân nhw os _____?
Beth wnân nhw os na _____?

Beth wnaiff hi os _____?
Beth wnaiff hi os na _____?

Beth wnaiff e os _____?
Beth wnaiff e os na _____?

Beth wnaiff yr anifeiliaid os _____?
Beth wnaiff yr anifeiliaid os na _____?

Bydd y tiwtor yn edrych ar eich brawddegau ac yn eu cywiro lle bo angen. Nawr ewch o gwmpas y dosbarth a darllen eich brawddegau i bobl eraill. Oes rhywun arall wedi ysgrifennu'r un frawddeg â chi?

> *The tutor will look at your sentences and correct them where necessary. Now go around the class and read your sentences to other people. Has someone else written the same sentence as you?*

Gartre gyda'r plant

Mae siarad am stori wrth i chi ddarllen yn gwella dealltwriaeth y plant. Weithiau, wrth ddarllen, stopiwch a gofyn cwestiynau tebyg i'r rhai uchod i'r plant. Caiff y plant ddyfalu beth ddigwyddiff nesa, neu gofio beth sy'n digwydd os yw'r stori'n gyfarwydd.

> *Talking about a story as you read improves the children's understanding. Sometimes, as you read, stop and ask the children questions similar to the above. The children may guess what happens next, or remember if the story is familiar.*

Cân
Tôn – 'Jingle Bells'

Beth wnawn ni? Beth wnawn ni ?
Heno yn y tŷ?
Cawn ni swper, un, dau, tri,
Heno yn y tŷ.

Beth wnawn ni? Beth wnawn ni?
Fory yn y tŷ?
Awn ni i chwarae, un, dau, tri
Fory yn y tŷ.

[yn araf / slowly]
Beth wnawn ni? Beth wnawn ni?
Yn y gwely bach?
Awn ni i gysgu, un, dau, tri
Yn y gwely bach.

Geirfa

botwm
   (botymau) - *button(s)*
celfi - *furniture*
lasys - *laces*

uned**18**

18.1 Amserlen yr wythnos

Penderfynwch pryd byddwch chi'n gwneud y pethau hyn. Ysgrifennwch nhw ar yr amserlen.
Decide when you will do these things. Write them on the timetable.

mynd i'r dosbarth dawnsio
mynd i'r wers nofio
mynd i'r clinig
mynd i'r cylch Ti a Fi
mynd i dŷ Tad-cu
glanhau'r tŷ
gweithio yn yr ardd
edrych ar y teledu
mynd i'r gwaith

Yn y bylchau sydd ar ôl ysgrifennwch 'ymlacio'.
In the gaps which are left write 'ymlacio' (relax).

Chi	Llun	Mawrth	Mercher	Iau	Gwener
bore					
prynhawn					
nos					

Nawr gofynnwch gwestiynau er mwyn llenwi amserlen eich partner.

Beth wnewch chi _____?
Pryd ewch chi _____?

Eich partner	Llun	Mawrth	Mercher	Iau	Gwener
bore					
prynhawn					
nos					

Gartre gyda'r plant

Ysgrifennwch amserlen yr wythnos a'i rhoi mewn lle amlwg, e.e. drws yr oergell.
Gofynnwch i'r plant dynnu lluniau o'r gweithgareddau ar yr amserlen a rhoi'r lluniau o
amgylch yr amserlen. Bob bore dangoswch i'r plant eich bod chi'n edrych ar yr amserlen
i weld beth fydd yn digwydd.

Write a timetable for the week and put it in a prominent place, e.g. fridge door.
Ask the children to draw pictures of the activities on the timetable and put the pictures
around the timetable. Every morning show the children you are looking at the timetable
to see what will be happening.

18.2 Canlyniadau

Gyda'ch partner, meddyliwch am ganlyniadau i'r sefyllfaoedd hyn.
Dechreuwch eich ateb gyda:

With your partner, think of consequences to these situations.
Start your answer with:

Cewch chi.../ Caiff e.../ Ân nhw.../ Daw hi.... etc

Mae Dafydd yn cropian nawr.
Mae Siân yn cnoi ei bysedd a chrio.
Mae'r plant yn mynd i Langrannog.
Dw i wedi prynu beic bach i Lowri.
Dyn ni wedi gwahodd Nia i'r parti pen-blwydd.
Mae Dafydd yn ceisio dringo'r grisiau.
Mae Manon a Meleri yn ddwy a hanner nawr.
Mae Lowri'n gallu nofio ar draws y pwll nofio.
Dyn ni'n mynd ar wyliau i Ddinbych-y-pysgod.
Mae pen-blwydd yr efeilliaid ddydd Sadwrn nesa.

Geirfa

ceisio	-	*to try*
clymu	-	*to tie*
cnoi	-	*to chew*
cropian	-	*to crawl*
Dinbych -y-pysgod	-	*Tenby*
efeilliaid	-	*twins*
gwahodd	-	*to invite*

uned19

19.1 Cysylltwch y brawddegau:

Join up the sentences:

Dylet ti ddal	dy ddwylo nawr.
Dylet ti glymu	dy frawd bach.
Dylet ti olchi	dy ffrind.
Ddylet ti ddim ysgrifennu ar	y pensil fel hyn.
Dylet ti ofalu am	y dudalen nawr.
Ddylet ti ddim bwrw	dy lasys fel hyn.
Dylet ti gysgu	y waliau.
Dylet ti droi	yn dy wely dy hunan.

Ar ôl ymarfer y brawddegau gyda'ch partner, rhowch ddarn o bapur dros yr ail golofn a cheisio cofio'r ail hanner. Wedyn symudwch y papur i'r golofn gyntaf a cheisio cofio'r hanner cyntaf. Yn olaf, rhowch y papur dros y brawddegau i gyd a cheisio eu cofio.

After practising the sentences with your partner, put a piece of paper over the second column and try to remember the second half. Then move the paper to the first column and try to remember the first half. Last of all, put the paper over all the sentences and try to remember them.

Gartre gyda'r plant

Ceisiwch ddefnyddio'r brawddegau hyn gyda'r plant.

Try to use these sentences with the children.

19.2 Llongau rhyfel / Battleships

Ticiwch wyth peth, a holi eich partner.

e.e. Hoffet ti fynd i'r tŷ bach?   Hoffwn / Na hoffwn

sudd oren	chwarae yn yr ardd	cael stori	tynnu lluniau
mynd i'r tŷ bach	diod o ddŵr	edrych ar y fideo	gwrando ar y CD
cael help gyda'r siswrn	chwarae gyda'r trên	mynd i dŷ Mam-gu	bwyta banana
helpu Dadi	siarad ar y ffôn	dawnsio	canu
chwarae gyda'r ceir	ysgrifennu dy enw	cyfrif yr afalau	darn o oren

Gartre gyda'r plant

Ceisiwch ddefnyddio'r cwestiynau hyn gyda'ch plant.
Try to use these questions with your children.

 Cân

Tôn – 'Rock a bye baby'

> Hoffet ti chwarae gyda dy ffrind?
> Hoffet ti aros yma neu fynd?
> Hoffet ti gyfri dim, un, dau, tri?
> Hoffet ti ganu cân gyda fi?

19.3 Ar ôl y Ffair

Dych chi wedi helpu i drefnu ffair yr ysgol neu'r cylch meithrin. Daeth llawer o bobl i'r ffair ond wnaethoch chi ddim llawer o arian. Wythnos ar ôl y ffair dych chi'n eistedd lawr i drafod gyda'ch grŵp beth aeth o'i le a sut gallech chi wneud yn well y tro nesa. Rhaid i bawb yn y grŵp awgrymu rhywbeth. Dechreuwch gyda....

> *You have helped to organise the school or nursery group's fair. A lot of people came to the fair but you didn't make very much money. A week after the fair you sit down to discuss with the group what went wrong and how you could do better next time. Everyone in the group has to contribute a suggestion. Start with …*

> Gallwn i fod wedi…
> Gallen ni fod wedi…
> Gallai'r plant fod wedi…
> Gallai'r athrawon fod wedi…

> Y tro nesa, gallwn i…
> Y tro nesa, gallen ni…
> Y tro nesa, gallen nhw…

> Allwn i… ?
> Allen ni… ?
> Allai'r plant… ?
> Allen nhw… ?

Bydd y tiwtor yn gofyn i'r grŵp am eich syniadau.
The tutor will ask the group for your ideas.

uned20

20.1 Darllen stori

Bydd y tiwtor wedi dod â llyfrau plant i'r dosbarth. Darllenwch lyfr i'ch partner ond stopiwch cyn diwedd y stori. Gofynnwch gwestiynau i'ch partner am beth mae e/hi'n feddwl fydd yn digwydd nesa yn y stori.

> *The tutor will have brought children's books to class. Read a book to your partner but stop before the end of the story. Ask your partner questions about what he/she thinks will be happening next in the story.*

> e.e. Beth wnân nhw os ...?
> Beth wnaiff hi os ...?
> Beth wnaiff y plant os ...?
>
> Beth wnân nhw os na...?
> Beth wnaiff hi os na...?
> Beth wnaiff y plant os na...?

> **Beth wnân nhw os bydd y cawr yn dihuno?**
> **Rhedan nhw i ffwrdd a mynd i guddio.**

Nawr gorffennwch y stori i weld ydy'ch partner yn gywir neu beidio.

> *Now finish the story to see if your partner is correct or not.*

Gartre gyda'r plant

Gofynnwch gwestiynau tebyg i'r plant wrth ddarllen stori.

> *Ask the children similar questions when reading a story.*

20.2 Yr wythnos nesa

Penderfynwch pa ddiwrnod y byddwch chi yn y lleoedd hyn a'u hysgrifennu nhw ar yr amserlen. Holwch eich partner i weld pa ddiwrnod y bydd e/hi yn y lleoedd hyn.

> *Decide which day you will be in these places and write them on the timetable.*
> *Ask your partner questions to see which day he/she will be in these places.*

yn y cylch Ti a Fi
yn y pwll nofio
yn y llyfrgell
yn yr archfarchnad
yn y gwaith
yn y Ganolfan Hamdden
mewn parti pen-blwydd

Fyddi di ... dydd Llun?   Bydda / Na fydda

	Chi	Eich partner
Dydd Llun		
Dydd Mawrth		
Dydd Mercher		
Dydd Iau		
Dydd Gwener		
Dydd Sadwrn		
Dydd Sul		

20.3 Canlyniadau

Gyda'ch partner, trafodwch beth yng ngholofn A
allai fod yn ganlyniad i rywbeth yng ngholofn B.

*With your partner, discuss what in column A
could be a consequence of something in column B.*

e.e. Cwympiff e os rhediff e'n rhy gyflym.

Geirfa

archfarchnad - *supermarket*

A	B
cwympo	mynd i'r ysgol
gwisgo twtw	mynd i'r gwely nawr
dysgu darllen	gorffen y gwaith
gwisgo ffrog newydd	rhedeg yn rhy gyflym
cael stori	bod yn ddrwg
cael pwdin	mynd i'r dosbarth dawnsio
mynd i'r gwely'n gynnar	mynd i barti
edrych ar y teledu	bwyta'r llysiau i gyd

uned 21

21.1 Llongau rhyfel / Battleships

Faset ti'n …? Baswn/Na faswn

Ticiwch wyth peth, a holi eich partner.

tynnu'r llun fel hyn	bwyta'r oren i gyd	gwneud garej gyda'r blociau	gorffen y jig-so
dewis y llyfr yma	paentio'r gwallt yn frown	helpu dy chwaer di	chwarae gyda hwn fel hyn
gwneud dy wallt di fel hyn	dewis y stori yma	gwneud tŷ gyda'r blociau	lliwio'r awyr yn las
gwisgo menig am dy draed	gwisgo esgidiau am dy glustiau	gwisgo het am dy drwyn	gwisgo cot fel hyn

 Gartre gyda'r plant

Ceisiwch ddefnyddio'r cwestiynau hyn gyda'r plant.
Try to use these questions with the children.

Yn y rhes ola mae pedwar cwestiwn am wisgo dillad. Gallech chwarae gêm gyda'r plant yn esgus bod chi ddim yn gwybod sut mae gwisgo'r dillad yma. Wrth i chi baratoi i fynd allan, gwnewch sioe o geisio rhoi menig am eich traed a gofyn:

> *In the last row there are four questions about wearing clothes. You could play a game with the children, pretending you don't know how to wear these clothes. As you prepare to go out, make a show of trying to put gloves on your feet and ask:*

'Faset ti'n gwisgo menig am dy draed?'   Atebwch eich hunan/*Answer yourself*:
                                              'Na faswn.'

'Faset ti'n gwisgo menig am dy glustiau?'
(gan geisio eu rhoi am eich clustiau/
        trying to put them on your ears)   'Na faswn.'
'Faset ti'n gwisgo menig am dy ddwylo?'
(gan wisgo'r menig/*putting the gloves on*)   'Baswn.'

21.2 Beth fasech chi'n wneud?

1. Trafodwch â'ch partner sut basech chi'n delio â phlentyn sy'n methu cysgu. Ceisiwch gytuno ar bump peth./*Discuss with your partner how you would deal with a child who can't sleep. Try to agree on five things.*

1. Basen ni'n _____

2. Basen ni'n _____

3. Basen ni'n _____

4. Basen ni'n _____

5. Basen ni'n _____

2. Ewch o gwmpas y dosbarth a darllen eich syniadau i bobl eraill. Oes rhywun arall gyda'r un syniadau'n union?/*Go around the class and read your ideas to other people. Is there someone else with exactly the same ideas?*

3. Nawr cyfnewidiwch lyfrau gyda rhywun arall a dweud wrth y dosbarth am syniadau'r pâr arall.
Now exchange books with someone else and tell the class about the other pair's ideas.

Basen nhw'n _____

_____

 Geirfa

bresych	-	*cabbage*
ffa pob	-	*baked beans*
lliwio	-	*to colour*

21.3 Beth fasai'n well gyda'r plant wneud?

Gyda'ch partner, atebwch y cwestiynau. Dilynwch y patrwm.
With your partner, answer the questions. Follow the pattern.

Hoffen nhw fwyta bresych i de?

Basai'n well gyda nhw fwyta ffa pob.

Hoffen nhw wisgo gwisg ysgol yfory?

_____

Hoffen nhw yfed dŵr yn y parti?

_____

Hoffen nhw wneud gwaith cartre heno?

_____

Hoffen nhw fynd i'r gwely'n gynnar heno?

_____

Hoffen nhw dacluso'r ystafell pnawn yma?

_____

Hoffen nhw fynd i siopa dydd Sadwrn?

_____

Hoffen nhw helpu i lanhau yn y gwyliau?

_____

Hoffen nhw edrych ar Newsnight heno?

_____

uned22

22.1 Baswn i'n..., tasai...

Ymarferwch y cwestiynau hyn gyda'r tiwtor a gyda'ch partner.

Practise these questions with the tutor and with your partner.

1. Beth fasai eich plentyn yn wisgo, tasai fe/hi'n mynd i barti gwisg ffansi?
2. Beth fasech chi'n brynu i de, tasai pen-blwydd eich plentyn heddiw?
3. Pa anrheg fasech chi'n brynu, tasai pen-blwydd eich plentyn heddiw?
4. Pa anrheg fasech chi'n brynu, tasai ffrind yn cael babi?
5. Pwy fasai'n gwarchod y plant, tasech chi'n cael noson allan?
6. Beth fasech chi'n wneud i helpu, tasai'r ysgol yn trefnu ffair?
7. Beth fasai eich plentyn yn ddweud, tasai fe/hi'n gweld Siôn Corn?
8. Pwy fasai eich plentyn yn wahodd, tasai fe/hi'n cael parti?

Nawr bydd y tiwtor yn gofyn i chi gofio un o'r cwestiynau. Ewch o gwmpas y dosbarth yn gofyn y cwestiwn. Ar y diwedd, bydd y tiwtor yn gofyn am rai o'r atebion.

Now the tutor will ask you to remember one of the questions. Go around the class asking the question. At the end, the tutor will ask about some of the answers.

22.2 Bargeinio eto

Cysylltwch y brawddegau.

Join up the sentences.

Taset ti'n stopio crio	baswn i'n rhoi cinio i ti.
Taset ti'n mynd i'r gwely	baswn i'n ei roi e ar y wal.
Taset ti'n golchi dy ddwylo	basai amser gyda ni.
Taset ti'n gwisgo dy esgidiau	baswn i'n esbonio.
Taset ti'n brysio	baswn i'n rhoi diod i ti.
Taset ti'n eistedd ar y gadair	baset ti'n cael chwarae yn yr ardd.
Taset ti'n codi nawr	baswn i'n darllen stori i ti.
Taset ti'n tynnu llun i mi	basen ni'n cyrraedd mewn pryd.

Ar ôl ymarfer darllen y brawddegau gyda'ch partner, rhowch ddarn o bapur dros yr ail golofn a cheisio ei chofio. Wedyn rhowch y papur dros y brawddegau i gyd a cheisio eu cofio.

After practising reading the sentences with your partner, put a piece of paper over the second column and try to remember it. Then put the paper over all the sentences and try to remember them.

 Gartre gyda'r plant

Ceisiwch ddefnyddio'r brawddegau hyn gyda'r plant.

Try to use these sentences with the children.

Cân

Tôn – 'Clementine'

 Geirfa

esbonio	-	*to explain*
gwarchod	-	*to baby-sit*
hedfan	-	*to fly*
mewn		
pryd	-	*in time*
trefnu	-	*to organise*

[yn hapus / *happily*]

Dw i mor hapus,
Dw i mor hapus,
Dw i mor hapus yn y tŷ,
Dw i mor hapus,
Fel yr enfys,
Un bach hapus iawn dw i.

[yn dawel / *quietly*]

Dw i mor dawel,
Dw i mor dawel,
Dw i mor dawel yn y tŷ,
Dw i mor dawel,
Fel yr awel,
Un bach tawel iawn dw i.

[yn swnllyd / *noisily*]

Dw i mor swnllyd,
Dw i mor swnllyd,
Dw i mor swnllyd yn y tŷ,
Dw i mor swnllyd,
Fel y cerbyd,
Un bach swnllyd iawn dw i.

[yn araf / *slowly*]

Dw i mor araf,
Dw i mor araf,
Dw i mor araf yn y tŷ,
Dw i mor araf,
Fel y gaeaf,
Un bach araf iawn dw i.

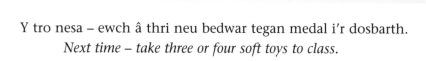

Y tro nesa – ewch â thri neu bedwar tegan medal i'r dosbarth.

Next time – take three or four soft toys to class.

uned23

23.1 Disgrifio'r plant

Ar ôl ymarfer y brawddegau yn Uned 23 gyda'r tiwtor a gyda'ch
partner, gofynnwch gwestiynau i aelodau'r dosbarth am eu plant.

> *After practising the sentences in* Uned 23 *with the tutor and with
> your partner, ask members of the class questions about their children.*

Beth yw enw'r plentyn?   Pa mor drwm yw _____?   Pa mor dal yw _____?

Enw'r plentyn	Pa mor drwm	Pa mor dal

23.2 Dyfalu

Wythnos diwetha gofynnodd y tiwtor i chi ddod â theganau i'r dosbarth. Rhowch y
teganau ar y bwrdd. Meddyliwch am dair neu bedair brawddeg i ddisgrifio un o'r teganau.
Bydd y tiwtor yn helpu. Wedyn dwedwch eich brawddegau wrth y dosbarth a byddan
nhw'n dyfalu pa degan sy'n cael ei ddisgrifio.

> *Last week the tutor asked you to bring toys to class.*
> *Put the toys on the table. Think about three or four*
> *sentences to describe one of the toys. The tutor will*
> *help. Then tell the class your sentences and they*
> *will guess which toy is being described.*

 Gartre gyda'r plant
Chwaraewch yr un gêm.
Play the same game.

23.3 Pa mor bell?

Yn eich tro, gofynnwch i'ch partner fesur pa mor bell i ffwrdd yw rhywbeth yn yr ystafell
oddi wrth rywbeth arall. Cewch ddefnyddio hyd eich traed fel uned fesur. Rhowch un
droed yn union o flaen y llall ac wedyn symud y droed ôl i'r blaen. Ailadroddwch gan
gyfrif faint o gamau dych chi'n eu cymryd. Ar ôl ymarfer ychydig, ceisiwch ddyfalu pa
mor bell yw rhywbeth cyn mesur.

> *Take turns to ask your partner to measure how far away something in the room is from*
> *something else. You can use the length of your feet as a unit of measurement. Put one foot*
> *exactly in front of the other and then move the back*
> *foot to the front. Repeat, counting how many steps*
> *you are taking. After practising a little, try to guess*
> *how far something is before measuring the distance.*

Gartre gyda'r plant
Chwaraewch yr un gêm.
Play the same game.

e.e. Pa mor bell yw'r drws o'r ffenestr? Saith cam.

uned**24**

24.1 Cymharu'r plant

Ar ôl ymarfer y brawddegau yn Uned 24 gyda'r tiwtor a gyda'ch partner,
ewch o gwmpas y dosbarth a gofyn cwestiynau am blant aelodau'r dosbarth.

> *After practising the sentences in* Uned 24 *with the tutor and with your partner,*
> *go around the class and ask questions about class members' children.*

> **A:** Beth yw enw eich plentyn?
> **B:** Siôn yw ei enw e.
> **A:** Pa mor dal yw e?
> **B:** Mae e tua dwy droedfedd a chwe modfedd/tua saith deg pump centimetr.
> **A:** Dyw e ddim mor dal/mor fyr â fy mhlentyn i.

24.2 Mor bell â...

Yn eich tro, holwch eich partner am ddau wrthrych yn yr ystafell.
Defnyddiwch eich traed i fesur y pellter o'ch cadair. (gw. Uned 23).

> *Take turns to ask your partner about two objects in the room.*
> *Use your feet to measure the distance from your chair (see* Uned 23*).*

> e.e. Ydy'r bwrdd gwyn mor bell â'r bin sbwriel? Ydy / Nac ydy

Gartre gyda'r plant

Chwaraewch yr un gêm.

> *Play the same game.*

24.3 Cymharu eich plant eich hunan

Os oes mwy nag un plentyn gyda chi, cymharwch nhw. Os na, cymharwch eich
plentyn gydag un o'i ffrindiau. Dwedwch ym mha ffordd mae'r plant yn debyg.

> *If you have more than one child, compare them. If not, compare your child to*
> *one of his/her friends. Say in what way the children are alike.*

Maen nhw mor _____ â'i gilydd.

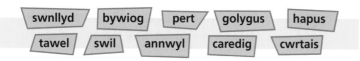

swnllyd   bywiog   pert   golygus   hapus
tawel   swil   annwyl   caredig   cwrtais

Y tro nesa – ewch â ffotograffau
o'ch plant a'u ffrindiau i'r dosbarth.

> ***Next time – take photos of your***
> ***children and their friends to class.***

Geirfa

annwyl - *sweet, loveable*
cwrtais - *polite*

25.1 Rhoi cyngor

1. Gyda'r tiwtor a gyda'ch partner, darllenwch am y problemau:

With the tutor and with your partner, read about the problems:

> Mae'r babi'n crio trwy'r nos.
> Mae Dewi'n ceisio dringo'r grisiau trwy'r amser.
> Mae Rhian yn ysgrifennu ar y waliau.
> Mae Gareth yn gwrthod bwyta llysiau.
> Mae Manon yn gwrthod mynd i'r gwely.
> Mae'r babi'n tynnu gwallt y plant eraill.
> Dyw Lisa ddim yn hoffi golchi ei gwallt.
> Dyw Ben ddim yn hoffi ymolchi.

Gyda'ch partner, trafodwch pa gyngor y basech chi'n roi i rieni'r plant hyn.

With your partner, discuss what advice you would give the parents of these children.

> Baswn i'n rhoi dymi i'r babi.
> Baswn i'n ffonio Tad-cu.

2. Nawr mae'r tiwtor yn mynd i roi cerdyn i chi gydag un o'r problemau uchod arno fe. Ewch o gwmpas y dosbarth yn esbonio eich problem a gwrando ar broblemau pobl eraill er mwyn derbyn a rhoi cyngor. Dechreuwch gyda:

Now the tutor is going to give you a card with one of the above problems written on it. Go around the class explaining your problem and listening to other people's problems in order to receive and give advice. Start with:

> Taswn i yn dy le di, baswn i'n …

3. Ar y diwedd bydd y tiwtor yn gofyn i chi pa gyngor ro'ch chi'n hoffi.

At the end the tutor will ask you what advice you liked.

> Ro'n i'n hoffi cyngor Jackie. Dwedodd Jackie basai hi'n …

25.2 Edrych ar y ffotograffau

Wythnos diwetha, gofynnodd y tiwtor i chi ddod â ffotograffau o'r plant a'u ffrindiau i'r dosbarth. Edrychwch ar ffotograffau eich partner a holi am y plant:

Last week, the tutor asked you to bring photos of the children and their friends to class. Look at your partner's photos and ask about the children:

> Pa mor hen yw e/hi?
> Pa mor dal yw e/hi?
> Pa mor drwm yw e/hi?

Os dych chi ddim yn sicr o'r ateb, dwedwch:
If you're not certain of the answer, say:

Baswn i'n dweud bod hi'n.....

Baswn i'n dweud fod e'n......

25.3 Cwestiynau

Gyda'ch partner, gwnewch restr o ddeg cwestiwn y gallech chi eu gofyn i'r plant.
With your partner, make a list of ten questions you could ask your children.

 Gartre gyda'r plant

Ceisiwch ddefnyddio'r cwestiynau hyn gyda'r plant.
Try to use these questions with the children.

25.4 Rhoi cynnig ar rywbeth newydd

Trying out something new

Gyda'ch partner, edrychwch nôl trwy'r llyfr ar yr adrannau 'Gartre gyda'r plant'. Dwedwch wrth eich partner pa rai dych chi wedi eu defnyddio gyda'ch plant. Dewiswch un o'r rhai dych chi ddim wedi defnyddio eto i'w wneud yr wythnos yma. Gwnewch nodyn o rif y dudalen.
With your partner, look back through the book at the 'Gartre gyda'r plant' sections.
Tell your partner which ones you have used with your children. Choose one of
those you haven't used yet to do this week. Make a note of the page number.

Yr wythnos yma bydda i'n edrych eto ar dudalen …
This week I will look again at page …

uned26

26.1 Cymharu'r plant

Newidiwch yr enwau yn y brawddegau hyn er mwyn gwneud brawddegau am eich plant eich hunan. Cymharwch eich plant â'i gilydd neu â'u ffrindiau. Darllenwch y brawddegau i'ch partner a newid partneriaid nifer o weithiau.

Change the names in these sentences to make sentences about your own children. Compare your children with each other, or with their friends. Read the sentences to your partner and change partners a number of times.

> Mae Mari yn henach na Lisa.
>
> Mae Jo yn ifancach na Rhys.
>
> Mae Susan yn dalach na Rhian.
>
> Mae Ben yn fwy doniol nag Andrew.
>
> Mae Jo yn dda iawn am gysgu trwy'r nos.
>
> Mae Susan yn dda am fynd i'r gwely'n gynnar.
>
> Mae Ben yn dda am gerdded.

Nawr ewch nôl at eich partner gwreiddiol, caewch eich
llyfrau a cheisio cofio rhai o'r brawddegau am eich plant.

> *Now go back to your original partner, close your books and*
> *try to remember some of the sentences about your children.*

26.2 Mwy a llai

Gyda'ch partner, edrychwch o gwmpas yr ystafell a chymryd tro i gymharu eich hunan
â gwrthrychau yn yr ystafell, e.e. 'Dw i'n llai na'r drws' neu 'Dw i'n fwy na'r bin sbwriel'.

> *With your partner, look around the room taking turns to compare yourself with objects*
> *in the room, e.g. 'Dw i'n llai na'r drws' or 'Dw i'n fwy na'r bin sbwriel'.*

 Gartre gyda'r plant

1. Gwnewch yr un peth gyda'r plant ond bydd rhaid i chi fynd at y gwrthrychau i ddangos
i'r plant eich bod chi'n mesur eich hunain yn eu herbyn. 'Edrych, dw i'n llai na'r drws
ac rwyt ti'n llai na'r drws.' 'Wyt ti'n fwy na Tedi?'

> *Do the same thing with the children but you will have to go to the objects to show the*
> *children you are measuring yourself against them. 'Edrych, dw i'n llai na'r drws ac*
> *rwyt ti'n llai na'r drws.' 'Wyt ti'n fwy na Tedi?'*

2. Cyn i chi roi'r dillad yn y peiriant golchi, rhowch y dillad i gyd ar y llawr. Codwch
rywbeth - e.e. blows - a gofyn i'ch plentyn, 'Beth sy'n fwy na'r flows?' Neu codwch
siwmper a gofyn, 'Beth sy'n llai na'r siwmper?' Helpwch y plentyn i ddod o hyd i
rywbeth addas – 'Edrych, mae'r tywel yn fwy na'r flows.'

> *Before you put the clothes in the washing machine, put all the clothes on the floor. Pick*
> *something up - e.g. a blouse - and ask your child, 'Beth sy'n fwy na'r flows?' or pick up*
> *a jumper and ask, 'Beth sy'n llai na'r siwmper?' Help the child to find something suitable*
> *– 'Edrych, mae'r tywel yn fwy na'r flows.'*

3. Dangoswch ddau ddarn o fara i'r plant. Dangoswch mai'r un maint yw'r ddau
ddarn. Gadewch un darn ar y bwrdd a rhoi'r darn arall yn y peiriant tost. Pan fydd
y tost yn barod, rhowch e ar ben y darn o fara sy heb ei dostio. Ydy e'n fwy neu'n llai?

> *Show the children two pieces of bread. Show them the two pieces are the same size. Leave*
> *one piece on the table and put the other in the toaster. When the toast is ready, put it on*
> *top of the piece of bread which hasn't been toasted. Is it larger or smaller?*

26.3 Cymharu teganau

Gyda'ch partner gwnewch restr o'r teganau sy'n boblogaidd ar hyn o bryd. Ceisiwch
feddwl am o leia chwe thegan neu gêm gan gynnwys hen ffefrynnau fel tedis a beiciau.

> *With your partner make a list of the toys which are currently popular. Try to think of*
> *at least six toys or games including old favourites like teddies and bikes.*

Cymharwch ddau degan ar y tro. Dwedwch bethau fel:
Compare two toys at a time. Say things like:

mwy lliwgar	*more colourful*
mwy diddorol	*more interesting*
mwy blewog	*more hairy/furry*
mwy swnllyd	*more noisy*
llai lliwgar	*less colourful*
llai diddorol	*less interesting*
llai blewog	*less hairy/furry*
llai swnllyd	*less noisy*

e.e.   Mae Barbie yn llai blewog na'r tedi.

 Gartre gyda'r plant

Ceisiwch ddefnyddio'r brawddegau hyn gyda'ch plant.
Try to use these sentences with your children.

Y tro nesa – ewch ag ychydig o deganau meddal i'r dosbarth.
Next time – take a few soft toys to class.

uned27

27.1 Cymharu pecynnau

Mae'r tiwtor wedi dod â llawer o becynnau bwyd a thuniau i'r dosbarth. Maen nhw i gyd ar y bwrdd. Gyda'ch partner, edrychwch ar y pecynnau a'r tuniau a thrafod:
The tutor has brought a lot of food packets and tins to class. They are all on the table. With your partner, look at the packets and tins and discuss:

Pa un yw'r lleia?
Pa un yw'r mwya?
Pa un yw'r mwya lliwgar?
Pa un yw'r lleia lliwgar?

Wedyn bydd y tiwtor yn gofyn i bawb ddyfalu:
Then the tutor will ask everyone to guess:

Pa un yw'r tryma? (*heaviest*)
Pa un yw'r ysgafna ? (*lightest*)

Ar ôl gwrando ar farn pawb bydd cyfle i chi godi'r pecynnau a'r tuniau er mwyn darganfod pwy oedd yn gywir. Os oes anghytuno, y tiwtor sy'n penderfynu!
After listening to everyone's opinion you will be able to pick up the packets and tins to discover who was correct. If there is disagreement, the tutor decides!

Gartre gyda'r plant

Gwnewch yr un peth gyda'ch plant. Yn aml iawn bydd plant yn meddwl bod rhaid
i rywbeth mawr fod yn drwm. Mae'n dda os oes modd dangos iddyn nhw bod hynny'n
anghywir weithiau.

> *Do the same thing with the children. Very often children think something large*
> *must be heavy. It's good if you can show them this is not always the case.*

27.2 Cymharu teganau meddal

Wythnos diwetha gofynnodd y tiwtor i chi ddod ag ychydig o deganau meddal i'r
dosbarth. Gweithiwch mewn grwpiau bach o dri neu bedwar. Rhowch eich teganau ar
y llawr o'ch blaen chi. Yn eich tro, dewiswch un o deganau'r grŵp a dweud rhywbeth
amdano. Bydd y bobl eraill yn y grŵp yn dyfalu pa degan dych chi'n siarad amdano.

> *Last week the tutor asked you to bring a few soft toys to class. Work in small groups of*
> *three or four. Put your toys on the floor in front of you. Take turns to choose one of the*
> *group's toys and say something about it. The other people in the group will guess which*
> *toy you are talking about.*

> **A:** Dw i'n meddwl am y tegan mwya blewog.
> **B:** Wyt ti'n meddwl am y tedi yma?
> **A:** Nac ydw.
> **C:** Wyt ti'n meddwl am y mwnci yma?
> **A:** Ydw.

Defnyddiwch:

> *mwya, lleia, mwya lliwgar, lleia lliwgar, mwya blewog,*
> *lleia blewog, mwya annwyl, lleia annwyl*

 Gartre gyda'r plant

Chwaraewch yr un gêm gyda'r plant, ond
gadael iddyn nhw bwyntio at y teganau
os dyn nhw ddim yn barod i ddweud ateb.

> *Play the same game with the children,*
> *but let them point to the toys if they*
> *are not ready to answer.*

 Cân

Tôn: 'London's Burning'

[gan wneud ystumiau / *with gestures!*]

> Fi yw'r lleia, Fi yw'r lleia,
> Yn y tŷ, Yn y tŷ,
> Dw i'n siŵr, Dw i'n siŵr!
> Fi yw'r lleia, Fi yw'r lleia.
>
> Fi yw'r mwya, Fi yw'r mwya,
> Yn y tŷ, Yn y tŷ,
> Dw i'n siŵr, Dw i'n siŵr!
> Fi yw'r mwya, Fi yw'r mwya.
>
> Fi yw'r tewa, etc.
> Fi yw'r gorau, etc.

uned28

28.1 Trafod y plant

wythnos	mis	blwyddyn
dwy wythnos	dau fis	dwy flynedd
tair wythnos	tri mis	tair blynedd
pedair wythnos	pedwar mis	pedair blynedd
pum wythnos	pum mis	pum mlynedd
chwe wythnos	chwe mis	chwe blynedd

Gofynnwch i'ch partner ers faint mae'r plant yn gwneud y pethau hyn:

Ask your partner how long (since when) the children have been doing these things:

sefyll, cerdded, siarad, cysgu trwy'r nos, mynd i'r cylch meithrin

A: Beth yw enwau eich plant?

B: Jac a Lucy.

A: Ers pryd mae Jac yn cerdded?

B: Ers chwe mis.

28.2 Penblwyddi

Ewch o gwmpas y dosbarth a holi am ben-blwyddi plant aelodau'r dosbarth.

Go around the class and ask the other members about their children's birthdays.

Beth yw dy enw di?

Beth yw enwau dy blant di?

Pryd mae eu penblwyddi nhw?

Enw	Enwau'r plant	Penblwyddi'r plant
1.		
2.		
3.		
4.		
5.		

Gartre gyda'r plant

1. Dysgwch y plant i ddweud pryd mae eu penblwyddi.

Teach the children to say when their birthdays are.

Mae fy mhen-blwydd i ar y ....

2. Bob dydd dwedwch wrth y plant 'Y dyddiad heddiw yw y ...' gan ysgrifennu'r dyddiad ar ddarn o bapur a'i roi mewn lle amlwg. Os oes llythrennau a rhifau magnetig gyda chi, defnyddiwch nhw i ysgrifennu'r dyddiad ar ddrws yr oergell.

Every day say to the children 'Y dyddiad heddiw yw y ...' as you write the date on a piece of paper and put it in a prominent place. If you have magnetic letters and numbers, use them to write the date on the fridge door.

uned 29

29.1 Llongau rhyfel / Battleships - y bag teimlo

Ticiwch wyth peth, a holi eich partner.

A: Deimlaist ti'r llew?
B: Naddo, theimlais i mo'r llew.
A: Deimlaist ti'r arth?
B: Do, teimlais i'r arth.

Geirfa

arth	-	*bear*
blaidd	-	*wolf*
llew	-	*lion*
morlo	-	*seal*
neidr	-	*snake*

llew	teigr	arth	eliffant
pengwin	mwnci	crocodeil	hipo
rhinoseros	sebra	morlo	neidr
parot	orang-wtang	blaidd	jiráff

Gartre gyda'r plant

Bydd angen cas gobennydd ynghyd â set o anifeiliaid y sw neu anifeiliaid y fferm. Chwaraewch gyda phedwar neu bump anifail ar y tro. Dangoswch nhw i'r plentyn a dweud yr enwau. Gofynnwch i'r plentyn guddio un o'r anifeiliaid yn y cas gobennydd heb i chi weld. Rhowch eich llaw yn y cas gobennydd a theimlo'r anifail.

You will need a pillowcase together with a set of zoo animals or farm animals. Play with four or five animals at a time. Show them to the child and say the names. Ask the child to hide one of the animals in the pillowcase without you seeing. Put your hand in the pillowcase and feel the animal.

Theimlais i mo'r llew.

Theimlais i mo'r eliffant.

Theimlais i mo'r hipo.

Theimlais i mo'r parot.

Teimlais i'r pengwin.

Gofynnwch i'r plentyn dynnu'r anifail allan o'r cas gobennydd.
Ask the child to pull the animal out of the pillowcase.

Do, teimlais i'r pengwin!

Os dydy'r plentyn ddim yn dechrau dweud y brawddegau
yma, o leia bydd e/hi'n dysgu enwau'r anifeiliaid.
*If the child doesn't start to say these sentences, at least
he/she will be learning the names of the animals.*

29.2 Beth glywoch chi?

Pan fyddwch chi yn y dosbarth mae'n bosib y byddwch chi'n clywed y pethau hyn:
When you are in class it's possible you will hear these things:

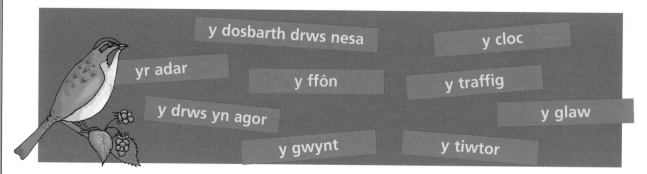

y dosbarth drws nesa

y cloc

yr adar

y ffôn

y traffig

y drws yn agor

y glaw

y gwynt

y tiwtor

Bydd y tiwtor yn gofyn i bawb fod yn dawel. Caewch eich llygaid a gwrando'n astud
am funud. Pan fydd y tiwtor yn dweud wrthoch chi am agor eich llygaid, dwedwch
wrth eich partner pa rai o'r pethau uchod glywoch chi a pha rai na chlywoch chi.
*The tutor will ask everyone to be quiet. Close your eyes and listen carefully for a minute.
When the tutor tells you to open your eyes, tell your partner which of the above things
you heard and which you didn't hear.*

e.e.   Clywais i'r traffig, clywais i'r glaw a chlywais i'r ffôn.
Chlywais i mo'r adar, chlywais i mo'r gwynt a chlywais i mo'r cloc.

 ### Gartre gyda'r plant

Gwnewch yr un peth gyda'r plant.
Do the same thing with the children.

Cân

Tôn – 'For He's a Jolly Good Fellow'

[y plentyn neu'r plant
i weiddi dyddiad eu
pen-blwydd yn y llinell ola]

(acen/*accent* ar 'mae'
i gael y geiriau i ffitio)

Pryd mae dy ben-blwydd di?
Pryd mae dy ben-blwydd di?
Pryd mae dy ben-blwydd, Carys Wyn?
Y degfed o Fawrth!

Pryd mae dy ben-blwydd di?
Pryd mae dy ben-blwydd di?
Pryd mae dy ben-blwydd, Ifan bach?
Y nawfed o Awst!

uned30

30.1 Darllen llyfrau

Mae'r tiwtor wedi dod â llyfrau plant i'r dosbarth. Cymerwch dro i ddarllen
stori i'ch partner. Ar ôl gorffen y stori, caewch y llyfr a cheisio cofio'r stori.

> *The tutor has brought children's books to class. Take turns to read your partner
> a story. After finishing the story, close the book and try to remember the story.*

Bydd y tiwtor yn casglu'r llyfrau a'u hailddosbarthu. Unwaith eto cymerwch dro
i ddarllen stori i'ch partner. Ar ôl gorffen, caewch y llyfr a cheisio cofio'r stori.

> *The tutor will collect the books and redistribute them. Once again, take your turn to read
> your partner a story. When you have finished, close the book and try to remember the story.*

 Gartre gyda'r plant

Ar ôl darllen stori i'r plant, gofynnwch iddyn nhw geisio cofio'r stori.

> *After reading the children a story, ask them to try to remember the story.*

30.2 Beth o't ti'n feddwl o'r llyfrau?

Gyda'ch partner cymharwch y llyfrau ddarllenoch chi. Dwedwch pa un yw:

> *With your partner compare the books you read. Say which one is:*

| y gorau | y gwaetha | y mwya lliwgar | y mwya doniol |

30.3 Edrych nôl

Gyda'ch partner, edrychwch nôl trwy'r llyfr hwn a dweud pa weithgareddau
dych chi wedi gwneud gyda'r plant. Os oes gweithgareddau dych chi heb
wneud hyd yn hyn, gwnewch nodyn o rif y dudalen.

> *With your partner, look back through this book and say which activities
> you have done with the children. If there are activities you have not done
> up to now, make a note of the page number.*

Bydda i'n edrych eto ar dudalen _____

Crynodeb o amseroedd y ferf
Summary of verb tenses

Y Presennol / *The Present*

Dw i'n gweld
I see/am seeing

Dw i ddim yn gweld
I don't see/am not seeing

Dw i'n gweld?
Do I see?/Am I seeing?

Rwyt ti'n gweld
You see/are seeing

Dwyt ti ddim yn gweld
You don't see/are not seeing

Wyt ti'n gweld?
Do you see?/Are you seeing?

Mae e'n/hi'n gweld
He/she sees/is seeing

Dyw e/hi ddim yn gweld
He/she doesn't see/is not seeing

Ydy e'n/hi'n gweld?
Does he/she see?/Is he/she seeing?

Dyn ni'n gweld
We see/are seeing

Dyn ni ddim yn gweld
We don't see/are not seeing

Dyn ni'n gweld?
Do we see?/Are we seeing?

Dych chi'n gweld
You see/are seeing

Dych chi ddim yn gweld
You don't see/are not seeing

Dych chi'n gweld?
Do you see?/Are you seeing?

Maen nhw'n gweld
They see/are seeing

Dyn nhw ddim yn gweld
They don't see/are not seeing

Dyn nhw'n gweld?
Do they see?/Are they seeing?

Y Perfaith / *The Perfect*

Dw i wedi gweld
I have seen

Dw i ddim wedi gweld
I haven't seen

Dw i wedi gweld?
Have I seen?

Rwyt ti wedi gweld
You have seen

Dwyt ti ddim wedi gweld
You haven't seen

Wyt ti wedi gweld?
Have you seen?

Mae e/hi wedi gweld
He/she has seen

Dyw e/hi ddim wedi gweld
He/she hasn't seen

Ydy e/hi wedi gweld?
Has he/she seen?

Dyn ni wedi gweld
We have seen

Dyn ni ddim wedi gweld
We haven't seen

Dyn ni wedi gweld?
Have we seen?

Dych chi wedi gweld
You have seen

Dych chi ddim wedi gweld
You haven't seen

Dych chi wedi gweld?
Have you seen?

Maen nhw wedi gweld
They have seen

Dyn nhw ddim wedi gweld
They haven't seen

Dyn nhw wedi gweld?
Have they seen?

Yr Amherffaith / *The Imperfect*

Ro'n i'n gweld *I was seeing/used to see*	Do'n i ddim yn gweld *I wasn't seeing/didn't use to see*	O'n i'n gweld? *Was I seeing?/Did I use to see?*
Ro't ti'n gweld *You were seeing/used to see*	Do't ti ddim yn gweld *You weren't seeing/didn't use to see*	O't ti'n gweld? *Were you seeing?/Did you use to see?*
Roedd e'n/hi'n gweld *He/she was seeing/used to see*	Doedd e/hi ddim yn gweld *He/she wasn't seeing/didn't use to see*	Oedd e'n/hi'n gweld? *Was he/she seeing?/Did he/she use to see?*
Ro'n ni'n gweld *We were seeing/used to see*	Do'n ni ddim yn gweld *We weren't seeing/didn't use to see*	O'n ni'n gweld? *Were we seeing?/Did we use to see?*
Ro'ch chi'n gweld *You were seeing/used to see*	Do'ch chi ddim yn gweld *You weren't seeing/didn't use to see*	O'ch chi'n gweld? *Were you seeing?/Did you use to see?*
Ro'n nhw'n gweld *They were seeing/used to see*	Do'n nhw ddim yn gweld *They weren't seeing/didn't use to see*	O'n nhw'n gweld? *Were they seeing?/Did they use to see?*

Y Dyfodol / *The Future*

Gwela i *I'll see (sometimes also 'I see')*	Wela i ddim *I won't see*	Wela i? *Will I see?*
Gweli di *You'll see*	Weli di ddim *You won't see*	Weli di? *Will you see?*
Gweliff e/hi *He/she will see*	Weliff e/hi ddim *He/she won't see*	Weliff e/hi? *Will he/she see?*
Gwelwn ni *We'll see*	Welwn ni ddim *We won't see*	Welwn ni? *Will we see?*
Gwelwch chi *You'll see*	Welwch chi ddim *You won't see*	Welwch chi? *Will you see?*
Gwelan nhw *They'll see*	Welan nhw ddim *They won't see*	Welan nhw? *Will they see?*

Y Dyfodol gyda 'bod' / *The Future with 'bod'*

Bydda i'n gweld
I will see/be seeing

Fydda i ddim yn gweld
I won't see/be seeing

Fydda i'n gweld?
Will I see?/be seeing?

Byddi di'n gweld
You will see/be seeing

Fyddi di ddim yn gweld
You won't see/be seeing

Fyddi di'n gweld?
Will you see?/be seeing?

Bydd e'n/hi'n gweld
He/she will see/be seeing

Fydd e/hi ddim yn gweld
He/she won't see/be seeing

Fydd e'n/hi'n gweld?
Will he/she see?/be seeing?

Byddwn ni'n gweld
We will see/be seeing

Fyddwn ni ddim yn gweld
We won't see/be seeing

Fyddwn ni'n gweld?
Will we see?/be seeing?

Byddwch chi'n gweld
You will see/be seeing

Fyddwch chi ddim yn gweld
You won't see/be seeing

Fyddwch chi'n gweld?
Will you see?/be seeing?

Byddan nhw'n gweld
They will see/be seeing

Fyddan nhw ddim yn gweld
They won't see/be seeing

Fyddan nhw'n gweld?
Will they see?/be seeing?

Y Dyfodol gyda 'gwneud' / *The Future using 'gwneud'*

Gwna i weld
I'll see

Wna i ddim gweld
I won't see

Wna i weld?
Will I see?

Gwnei di weld
You'll see

Wnei di ddim gweld
You won't see

Wnei di weld?
Will you see?

Gwnaiff e/hi weld
He/she'll see

Wnaiff e/hi ddim gweld
He/she won't see

Wnaiff e/hi weld?
Will he/she see?

Gwnawn ni weld
We'll see

Wnawn ni ddim gweld
We won't see

Wnawn ni weld?
Will we see?

Gwnewch chi weld
You'll see

Wnewch chi ddim gweld
You won't see

Wnewch chi weld?
Will you see?

Gwnân nhw weld
They'll see

Wnân nhw ddim gweld
They won't see

Wnân nhw weld?
Will they see?

Yr Amodol / *The Conditional*

Baswn i'n gweld
I would see

Faswn i ddim yn gweld
I wouldn't see

Faswn i'n gweld?
Would I see?

Baset ti'n gweld
You would see

Faset ti ddim yn gweld
You wouldn't see

Faset ti'n gweld?
Would you see?

Basai fe'n/hi'n gweld
He/she would see

Fasai fe/hi ddim yn gweld
He/she wouldn't see

Fasai fe'n/hi'n gweld?
Would he/she see?

Basen ni'n gweld
We would see

Fasen ni ddim yn gweld
We wouldn't see

Fasen ni'n gweld?
Would we see?

Basech chi'n gweld
You would see

Fasech chi ddim yn gweld
You wouldn't see

Fasech chi'n gweld?
Would you see?

Basen nhw'n gweld
They would see

Fasen nhw ddim yn gweld
They wouldn't see

Fasen nhw'n gweld?
Would they see?

Hoffwn / Gallwn / Dylwn

Hoffwn i weld
I would like to see

Hoffwn i ddim gweld
I wouldn't like to see

Hoffwn i weld?
Would I like to see?

Hoffet ti weld
You would like to see

Hoffet ti ddim gweld
You wouldn't like to see

Hoffet ti weld?
Would you like to see?

Hoffai fe/hi weld
He/she would like to see

Hoffai fe/hi ddim gweld
He/she wouldn't like to see

Hoffai fe/hi weld?
Would he/she like to see?

Hoffen ni weld
We would like to see

Hoffen ni ddim gweld
We wouldn't like to see

Hoffen ni weld?
Would we like to see?

Hoffech chi weld
You would like to see

Hoffech chi ddim gweld
You wouldn't like to see

Hoffech chi weld?
Would you like to see?

Hoffen nhw weld
They would like to see

Hoffen nhw ddim gweld
They wouldn't like to see

Hoffen nhw weld?
Would they like to see?

Gallwn i weld
I could see

Allwn i ddim gweld
I couldn't see

Allwn i weld?
Could I see?

Gallet ti weld
You could see

Allet ti ddim gweld
You couldn't see

Allet ti weld?
Could you see?

Gallai fe/hi weld
He/she could see

Allai fe/hi ddim gweld
He/she couldn't see

Allai fe/hi weld?
Could he/she see?

Gallen ni weld
We could see

Allen ni ddim gweld
We couldn't see

Allen ni weld?
Could we see?

Gallech chi weld
You could see

Allech chi ddim gweld
You couldn't see

Allech chi weld?
Could you see?

Gallen nhw weld
They could see

Allen nhw ddim gweld
They couldn't see

Allen nhw weld?
Could they see?

Dylwn i weld
I should see

Ddylwn i ddim gweld
I shouldn't see

Ddylwn i weld?
Should I see?

Dylet ti weld
You should see

Ddylet ti ddim gweld
You shouldn't see

Ddylet ti weld?
Should you see?

Dylai fe/hi weld
He/she should see

Ddylai fe/hi ddim gweld
He/she shouldn't see

Ddylai fe/hi weld?
Should he/she see?

Dylen ni weld
We should see

Ddylen ni ddim gweld
We shouldn't see

Ddylen ni weld?
Should we see?

Dylech chi weld
You should see

Ddylech chi ddim gweld
You shouldn't see

Ddylech chi weld?
Should you see?

Dylen nhw weld
They should see

Ddylen nhw ddim gweld
They shouldn't see

Ddylen nhw weld?
Should they see?

Y Gorffennol / *The Past*

Gwelais i *I saw*	Welais i ddim *I didn't see*	Welais i? *Did I see?*
Gwelaist ti *You saw*	Welaist ti ddim *You didn't see*	Welaist ti? *Did you see?*
Gwelodd e/hi *He/she saw*	Welodd e/hi ddim *He/she didn't see*	Welodd e/hi? *Did he/she see?*
Gwelon ni *We saw*	Welon ni ddim *We didn't see*	Welon ni? *Did we see?*
Gweloch chi *You saw*	Weloch chi ddim *You didn't see*	Weloch chi? *Did you see?*
Gwelon nhw *They saw*	Welon nhw ddim *They didn't see*	Welon nhw? *Did they see?*

Y Gorffennol gyda 'gwneud' / *The Past using 'gwneud'*

Gwnes i weld *I saw*	Wnes i ddim gweld *I didn't see*	Wnes i weld? *Did I see?*
Gwnest ti weld *You saw*	Wnest ti ddim gweld *You didn't see*	Wnest ti weld? *Did you see?*
Gwnaeth e/hi weld *He/she saw*	Wnaeth e/hi ddim gweld *He/she didn't see*	Wnaeth e/hi weld? *Did he/she see?*
Gwnaethon ni weld *We saw*	Wnaethon ni ddim gweld *We didn't see*	Wnaethon ni weld? *Did we see?*
Gwnaethoch chi weld *You saw*	Wnaethoch chi ddim gweld *You didn't see*	Wnaethoch chi weld? *Did you see?*
Gwnaethon nhw weld *They saw*	Wnaethon nhw ddim gweld *They didn't see*	Wnaethon nhw weld? *Did they see?*

Gorffennol 'bod' / The Past of 'bod'

Bues i *I was*	Fues i ddim *I was not*	Fues i? *Was I?*
Buest ti *You were*	Fuest ti ddim *You were not*	Fuest ti? *Were you?*
Buodd e/hi *He/she was*	Fuodd e/hi ddim *He/she was not*	Fuodd e/hi? *Was he/she?*
Buon ni *We were*	Fuon ni ddim *We were not*	Fuon ni? *Were we?*
Buoch chi *You were*	Fuoch chi ddim *You were not*	Fuoch chi? *Were you?*
Buon nhw *They were*	Fuon nhw ddim *They were not*	Fuon nhw? *Were they?*

Y Goddefol / The Passive

Byddwch chi'n clywed *You'll hear*	**Efallai y byddwch chi hefyd yn gweld** *You may also see*
Ges i fy ngweld *I was seen*	Ces i fy ngweld
Gest ti dy weld *You were seen*	Cest ti dy weld
Gaeth e ei weld *He was seen*	Cafodd e ei weld
Gaeth hi ei gweld *She was seen*	Cafodd hi ei gweld
Gaethon ni ein gweld *We were seen*	Cawson ni ein gweld
Gaethoch chi eich gweld *You were seen*	Cawsoch chi eich gweld
Gaethon nhw eu gweld *They were seen*	Cawson nhw eu gweld

Nodiadau